Pasc

Tous les matins du monde

Dossier et notes réalisés par
Jean-Luc Vincent

Lecture d'image par
Agnès Verlet

folioplus
classiques

Maître de conférences en littérature française à l'université d'Aix-en-Provence (Aix-Marseille I), **Agnès Verlet** est l'auteur de plusieurs essais : *Les Vanités de Chateaubriand* (Droz, 2001), *Pierres parlantes, Florilège d'épitaphes parisiennes* (Paris/Musées, 2000). Elle a rédigé le dossier critique des *Aventures du dernier Abencerage* de Chateaubriand (« La bibliothèque Gallimard » n° 170) ainsi que conçu et commenté l'anthologie *Écrire des rêves* (« La bibliothèque Gallimard » n° 190). Elle collabore à des revues. Elle a également publié des œuvres de fiction, parmi lesquelles *La Messagère de rien* (Séguier, 1997) et *Les Violons brûlés* (La Différence, 2006).

Ancien élève de l'École normale supérieure de la rue d'Ulm et agrégé de lettres classiques, **Jean-Luc Vincent** enseigne la littérature française à l'université de Strasbourg de 1999 à 2002 avant de devenir comédien et dramaturge. Il publie notamment une anthologie commentée de textes dramatiques (*Trois questions de dramaturgie*) et une lecture suivie de *La Cerisaie* de Tchekhov (La bibliothèque Gallimard n° 129 et n° 151), et participe à la rédaction des *Petits Carnets d'écriture* (théâtre et architecture) avec Françoise Spiess (Gallimard Éducation-CNDP). Pour la collection « Folioplus classiques », il a également commenté *L'Impromptu de Versailles* et *Les Précieuses ridicules* de Molière ainsi que les *Pensées* de Pascal.

Sommaire

Sommaire

Tous les matins du monde

Chapitre premier

Au printemps de 1650, Madame de Sainte Colombe
mourut. Elle laissait deux filles âgées de deux et six ans.
Monsieur de Sainte Colombe ne se consola pas de la mort
de son épouse. Il l'aimait. C'est à cette occasion qu'il composa le Tombeau[1] des Regrets.

Il vivait avec ses deux filles dans une maison qui avait un
jardin qui donnait sur la Bièvre. Le jardin était étroit et
clos jusqu'à la rivière. Il y avait des saules sur la rive et
une barque dans laquelle Sainte Colombe allait s'asseoir
le soir quand le temps était agréable. Il n'était pas riche
sans qu'il pût se plaindre de pauvreté. Il possédait une terre
dans le Berry qui lui laissait un petit revenu et du vin qu'il
échangeait contre du drap et parfois du gibier. Il était mala-
droit à la chasse et répugnait à parcourir les forêts qui
surplombaient la vallée. L'argent que ses élèves lui remet-
taient complétait ses ressources. Il enseignait la viole qui
connaissait alors un engouement à Londres et à Paris.
C'était un maître réputé. Il avait à son service deux
valets et une cuisinière qui s'occupait des petites. Un
homme qui appartenait à la société qui fréquentait Port-

---

1. Œuvre musicale ou poétique composée à la mémoire de quelqu'un.

Royal [1], Monsieur de Bures, apprit aux enfants les lettres, les chiffres, l'histoire sainte et les rudiments du latin qui permettent de la comprendre. Monsieur de Bures logeait dans le cul-de-sac de la rue Saint-Dominique-d'Enfer. C'est Madame de Pont-Carré qui avait recommandé Monsieur de Bures à Sainte Colombe. Celui-ci avait inculqué à ses filles, dès l'âge le plus tendre, les notes et les clés. Elles chantaient bien et avaient de réelles dispositions pour la musique. Tous les trois, quand Toinette eut cinq ans et Madeleine neuf, firent des petits trios à voix qui présentaient un certain nombre de difficultés et il était content de l'élégance avec laquelle ses filles les résolvaient. Alors, les petites ressemblaient plus à Sainte Colombe qu'elles n'évoquaient les traits de leur mère ; cependant le souvenir de cette dernière était intact en lui. Au bout de trois ans, son apparence était toujours dans ses yeux. Au bout de cinq ans, sa voix chuchotait toujours dans ses oreilles. Il était le plus souvent taciturne, n'allait ni à Paris ni à Jouy. Deux années après la mort de Madame de Sainte Colombe, il vendit son cheval. Il ne pouvait contenir le regret de ne pas avoir été présent quand sa femme avait rendu l'âme. Il était alors au chevet d'un ami de feu Monsieur Vauquelin qui avait souhaité mourir avec un peu de vin de Puisey et de musique. Cet ami s'était éteint après le déjeuner. Monsieur de Sainte Colombe, dans le carrosse de Monsieur de Savreux, s'était retrouvé chez lui passé minuit. Sa femme était déjà revêtue et entourée des cierges et des larmes. Il n'ouvrit pas la bouche mais ne vit plus personne. Le chemin qui menait à Paris n'étant pas empierré, il fallait deux bonnes heures à pied pour joindre la cité. Sainte Colombe s'enferma chez lui et se consacra à la musique. Il travailla des années durant la viole et devint

---

1. L'abbaye de Port-Royal-des-Champs fut, dès le début du XVIIe siècle, le centre du rayonnement janséniste.

un maître connu. Les deux saisons qui suivirent la disparition de son épouse, il s'exerça jusqu'à quinze heures par jour. Il avait fait bâtir une cabane dans le jardin, dans les branches d'un grand mûrier qui datait de Monsieur de Sully. Quatre marches suffisaient à y grimper. Il pouvait travailler ainsi sans gêner les petites qui étaient à leurs leçons ou à leurs jeux; ou encore après que Guignotte, la cuisinière, les avait couchées. Il estimait que la musique aurait mis de l'encombrement à la conversation des deux petites filles qui papotaient dans le noir avant de s'endormir. Il trouva une façon différente de tenir la viole entre les genoux et sans la faire reposer sur le mollet. Il ajouta une corde basse à l'instrument pour le doter d'une possibilité plus grave et afin de lui procurer un tour plus mélancolique. Il perfectionna la technique de l'archet en allégeant le poids de la main et en ne faisant porter la pression que sur les crins, à l'aide de l'index et du médius, ce qu'il faisait avec une virtuosité étonnante. Un de ses élèves, Côme Le Blanc le père, disait qu'il arrivait à imiter toutes les inflexions de la voix humaine : du soupir d'une jeune femme au sanglot d'un homme qui est âgé, du cri de guerre de Henri de Navarre à la douceur d'un souffle d'enfant qui s'applique et dessine, du râle désordonné auquel incite quelquefois le plaisir à la gravité presque muette, avec très peu d'accords, et peu fournis, d'un homme qui est concentré dans sa prière.

Chapitre II

La route qui menait chez Sainte Colombe était boueuse dès que les froids venaient. Sainte Colombe avait de la détestation pour Paris, pour le claquement des sabots et le cliquetis des éperons sur les pavés, pour les cris que faisaient les essieux des carrosses et le fer des charrettes. Il était maniaque. Il écrasait les cerfs-volants et les hannetons avec le fond des bougeoirs : cela produisait un bruit singulier, les mandibules ou les élytres craquant lentement sous la pression régulière du métal. Les petites aimaient le voir faire et y prendre plaisir. Elles lui apportaient même des coccinelles.

L'homme n'était pas si froid qu'on l'a décrit ; il était gauche dans l'expression de ses émotions ; il ne savait pas faire les gestes caressants dont les enfants sont gloutons ; il n'était pas capable d'un entretien suivi avec personne, sauf Messieurs Baugin et Lancelot[1]. Sainte Colombe avait fait ses études en compagnie de Claude Lancelot et il le retrouvait quelquefois les jours où Madame de Pont-Carré recevait. Au physique, c'était un homme haut, épineux, très maigre, jaune comme un coing, brusque. Il se tenait le dos très

---

1. Lubin Baugin (vers 1610-1663) : peintre de natures mortes ; Claude Lancelot (1615-1695) : théoricien janséniste de l'enseignement et grammairien.

droit, de façon étonnante, le regard fixe, les lèvres serrées l'une sur l'autre. Il était plein d'embarras mais il était capable de gaieté.

Il aimait jouer aux cartes avec ses filles, en buvant du vin. Il fumait alors, chaque soir, une longue pipe en terre d'Ardennes. Il n'était guère assidu à suivre la mode. Il portait les cheveux noirs ramassés comme au temps des guerres et, autour du cou, la fraise quand il sortait. Il avait été présenté au feu roi dans sa jeunesse et de ce jour, sans qu'on sût pourquoi, n'avait plus mis les pieds au Louvre ni au château-vieux de Saint-Germain[1]. Il ne quitta plus le noir pour les habits.

Il était aussi violent et courrouçable qu'il pouvait être tendre. Quand il entendait pleurer durant la nuit, il lui arrivait de monter la chandelle à la main à l'étage et, agenouillé entre ses deux filles, de chanter :

> *Sola vivebat in antris Magdalena*
> *Lugens et suspirans die ac nocte…*

ou bien :

> *Il est mort pauvre et moi je vis comme il est mort*
> *Et l'or*
> *Dort*
> *Dans le palais de marbre où le roi joue encore.*

Parfois les petites demandaient, surtout Toinette :
« Qui était maman ? »

Alors il se rembrunissait et on ne pouvait plus tirer de lui un mot. Un jour, il leur dit :

---

1. Le château de Saint-Germain-en-Laye fut une résidence royale avant que Louis XIV ne s'installe à Versailles.

«Il faut que vous soyez bonnes. Il faut que vous soyez travailleuses. Je suis content de vous deux, surtout de Madeleine, qui est plus sage. J'ai le regret de votre mère. Chacun des souvenirs que j'ai gardés de mon épouse est un morceau de joie que je ne retrouverai jamais.»

Il s'excusa une autre fois auprès d'elles de ce qu'il ne s'entendait guère à parler; que leur mère, quant à elle, savait parler et rire; que pour ce qui le concernait il n'avait guère d'attachement pour le langage et qu'il ne prenait pas de plaisir dans la compagnie des gens, ni dans celle des livres et des discours. Même les poésies de Vauquelin des Yveteaux et de ses anciens amis ne lui convenaient jamais entièrement. Il avait été lié à Monsieur de La Petitière, qui avait été garde du corps du Cardinal et s'était fait depuis solitaire et cordonnier de ces messieurs en substitution à Monsieur Marais le père. Même chose pour la peinture, outre Monsieur Baugin. Monsieur de Sainte Colombe ne louait pas la peinture que faisait alors Monsieur de Champaigne. Il la jugeait moins grave que triste, et moins sobre que pauvre. Même chose pour l'architecture, ou la sculpture, ou les arts mécaniques, ou la religion, n'était Madame de Pont-Carré. Il est vrai que Madame de Pont-Carré jouait très bien du luth et du théorbe [1] qu'elle n'avait pas sacrifié complètement ce don à Dieu. Elle lui envoyait son carrosse de temps à autre, n'en pouvant plus de tant de privation de musique, le faisait venir dans son hôtel et l'accompagnait au théorbe jusqu'à avoir la vue brouillée. Elle possédait une viole noire qui datait du roi François Ier et que Sainte Colombe maniait comme s'il s'était agi d'une idole d'Égypte.

Il était sujet à des colères sans raison qui jetaient l'épouvante dans l'âme des enfants parce que, au cours de ces accès, il brisait les meubles en criant: «Ah! Ah!» comme

1. Luth à deux manches.

s'il étouffait. Il était très exigeant avec elles, ayant peur qu'elles ne fussent pas bien instruites par un homme seul. Il était sévère et ne manquait pas à les punir. Il ne savait pas les réprimander ni porter la main sur elles ni brandir le fouet ; aussi les enfermait-il dans le cellier ou dans la cave, où il les oubliait. Guignotte, la cuisinière, venait les délivrer.

Madeleine ne se plaignait jamais. À chaque colère de son père, elle était comme un vaisseau qui chavire et qui coule inopinément : elle ne mangeait plus et se retirait dans son silence. Toinette se rebellait, réclamait contre son père, criait après lui. Elle ressemblait par le caractère, au fur et à mesure qu'elle grandissait, à Madame de Sainte Colombe. Sa sœur, le nez baissé dans la peur, ne soufflait mot et refusait jusqu'à une cuillerée de soupe. Au reste, elles le voyaient peu. Elles vivaient dans la compagnie de Guignotte, de Monsieur Pardoux et de Monsieur de Bures. Ou elles allaient à la chapelle nettoyer les statues, ôter les toiles d'araignée et disposer les fleurs. Guignotte, qui était originaire du Languedoc et qui avait pour coutume de laisser ses cheveux toujours dénoués dans le dos, leur avait confectionné des gaules en rompant des branches dans les arbres. Toutes trois, avec un fil, un hameçon et une papillote nouée pour voir la touche, dès que les beaux jours étaient là, troussaient leur jupe et glissaient les pieds nus dans la vase. Elles sortaient de la Bièvre la friture du soir, qu'elles mêlaient ensuite dans la poêle avec un peu de farine de blé et de vinaigre tiré du vin de la vigne de Monsieur de Sainte Colombe, qui était bien médiocre. Pendant ce temps-là, le musicien restait des heures sur son tabouret, sur un vieux morceau de velours de Gênes vert que ses fesses avaient râpé, enfermé dans sa cabane. Monsieur de Sainte Colombe l'appelait sa « vorde ». Vordes est un vieux mot qui désigne le bord humide d'un cours d'eau sous les saules. Au haut de son mûrier, au-devant des saules, la tête droite, les lèvres

4_Tous les matins du monde_

au-dessus des frettes [1], tandis qu'il perfectionnait sa pratique
par ses exercices, il arrivait que des airs ou que des plaintes
vinssent sous ses doigts. Quand ils revenaient ou quand sa
tête en était obsédée et qu'ils le tarabustaient dans son lit
solitaire, il ouvrait son cahier de musique rouge et les notait
dans la hâte pour ne plus s'en préoccuper.

---

1. Pièces métalliques placées sur le manche de certains instruments à cordes (violes, guitares) qui permettent de faire varier les notes.

Chapitre III

Quand sa fille aînée eut atteint la taille nécessaire à l'apprentissage de la viole, il lui enseigna les dispositions, les accords, les arpèges, les ornements. L'enfant la plus petite fit de vives colères et presque des tempêtes que lui fût refusé l'honneur que son père consentait à sa sœur. Ni les privations de nourritures ni la cave ne purent réduire Toinette et calmer l'ébullition où elle se trouvait.

Un matin, avant que l'aube parût, Monsieur de Sainte Colombe se leva, suivit la Bièvre jusqu'au fleuve, suivit la Seine jusqu'au pont de la Dauphine, et s'entretint tout le jour avec Monsieur Pardoux, qui était son luthier. Il dessina avec lui. Il calcula avec lui, et il revint le jour tombant. Pour les pâques, alors que la cloche de la chapelle sonnait, Toinette trouva dans le jardin une étrange cloche enveloppée comme un fantôme dans une toile de serge grise. Elle souleva le tissu et découvrit une viole réduite à un demi-pied pour un pied. C'était, avec une exactitude digne d'admiration, une viole comme celle de son père ou celle de sa sœur, mais plus petite, comme les ânons sont aux chevaux. Toinette ne se tint pas de joie.

Elle était pâle, pareille à du lait, et elle pleura dans les genoux de son père tant elle était heureuse. Le caractère de Monsieur de Sainte Colombe et son peu de disposition au langage le rendaient d'une extrême pudeur et son visage demeurait inexpressif et sévère quoi qu'il sentît. Il n'y avait que dans ses compositions qu'on découvrait la complexité et la délicatesse du monde qui était caché sous ce visage et derrière les gestes rares et rigides. Il buvait du vin en caressant les cheveux de sa fille qui avait la tête enfouie dans son pourpoint et dont le dos était secoué.

Très vite les concerts à trois violes des Sainte Colombe furent renommés. Les jeunes seigneurs ou les fils de la bourgeoisie auxquels Monsieur de Sainte Colombe enseignait la manière de jouer de la viole prétendirent y assister. Les musiciens qui appartenaient à la corporation ou qui avaient de l'estime pour Monsieur de Sainte Colombe s'y rendirent aussi. Celui-ci alla jusqu'à organiser une fois tous les quinze jours un concert qui commençait à vêpres et qui durait quatre heures. Sainte Colombe s'efforçait, à chaque assemblée, de donner à entendre des œuvres nouvelles. Toutefois le père et ses filles s'adonnaient particulièrement à des improvisations à trois violes très savantes, sur quelque thème que ce fût qu'un de ceux qui assistaient à l'assemblée leur proposait.

Chapitre IV

Monsieur Caignet et Monsieur Chambonnières étaient de ces assemblées de musique et les louaient fort. Les seigneurs en avaient fait leur caprice et on vit jusqu'à quinze carrosses arrêtés sur la route boueuse, outre les chevaux, et obstruer le passage pour les voyageurs et les marchands qui se rendaient à Jouy ou à Trappes. À force qu'on lui en eut rebattu les oreilles, le roi voulut entendre ce musicien et ses filles. Il dépêcha Monsieur Caignet — qui était le joueur de viole attitré de Louis XIV et qui appartenait à sa chambre. Ce fut Toinette qui se précipita pour ouvrir la porte cochère de la cour et qui mena Monsieur Caignet au jardin. Monsieur de Sainte Colombe, blême et furieux qu'on l'eût dérangé dans sa retraite, descendit les quatre marches de sa cabane et salua.

Monsieur Caignet remit son chapeau et déclara :

« Monsieur, vous vivez dans la ruine et le silence. On vous envie cette sauvagerie. On vous envie ces forêts vertes qui vous surplombent. »

Monsieur de Sainte Colombe ne desserra pas les lèvres. Il le regardait fixement.

« Monsieur, reprit Monsieur Caignet, parce que vous êtes un maître dans l'art de la viole, j'ai reçu l'ordre de vous inviter à vous produire à la cour. Sa majesté a marqué le

désir de vous entendre et, dans le cas où elle serait satis-
faite, elle vous accueillerait parmi les musiciens de la chambre.
Dans cette circonstance j'aurais l'honneur de me trouver à
vos côtés. »

Monsieur de Sainte Colombe répondit qu'il était un homme
âgé et veuf ; qu'il avait la charge de deux filles, ce qui l'obli-
geait à demeurer dans une façon de vivre plus privée qu'un
autre homme ; qu'il ressentait du dégoût pour le monde.

« Monsieur, dit-il, j'ai confié ma vie à des planches de bois
grises qui sont dans un mûrier ; aux sons des sept cordes
d'une viole ; à mes deux filles. Mes amis sont les souvenirs.
Ma cour, ce sont les saules qui sont là, l'eau qui court, les
chevesnes [1], les goujons et les fleurs du sureau. Vous direz à
sa majesté que son palais n'a rien à faire d'un sauvage qui fut
présenté au feu roi son père il y a trente-cinq ans de cela.

— Monsieur, répond Monsieur Caignet, vous n'entendez pas ma requête. J'appartiens à la chambre du roi. Le
souhait que marque sa majesté est un ordre. »

Le visage de Monsieur de Sainte Colombe s'empourpra.
Ses yeux luisirent de colère. Il s'avança à le toucher.

« Je suis si sauvage, Monsieur, que je pense que je
n'appartiens qu'à moi-même. Vous direz à sa majesté qu'elle
s'est montrée trop généreuse quand elle a posé son regard
sur moi. »

Monsieur de Sainte Colombe poussait Monsieur Caignet
vers la maison tout en parlant. Ils se saluèrent. Monsieur de
Sainte Colombe regagna la vorde tandis que Toinette allait
au poulailler, qui se trouvait à l'angle du mur clos et de la
Bièvre.

Pendant ce temps-là, Monsieur Caignet revint avec son
chapeau et son épée, s'approcha de la cabane, écarta avec
sa botte un dindon et des petits poussins jaunes qui pico-

---

1. Poissons d'eau douce.

raient, se glissa sous le plancher de la cabane, s'assit dans l'herbe, dans l'ombre et les racines et écouta. Puis il repartit sans qu'on le vît et regagna le Louvre. Il parla au roi, rapporta les raisons que le musicien avait avancées et lui fit part de l'impression merveilleuse et difficile que lui avait faite la musique qu'il avait entendue à la dérobée.

Chapitre V

Le roi était mécontent de ne pas posséder Monsieur de Sainte Colombe. Les courtisans continuaient de vanter ses improvisations virtuoses. Le déplaisir de ne pas être obéi ajoutait à l'impatience où se trouvait le roi de voir le musicien jouer devant lui. Il renvoya Monsieur Caignet accompagné de l'abbé Mathieu.

Le carrosse qui les menait était accompagné par deux officiers à cheval. L'abbé Mathieu portait un habit noir en satin, un petit collet à ruché de dentelles, une grande croix de diamants sur la poitrine.

Madeleine les fit entrer dans la salle. L'abbé Mathieu, devant la cheminée, posa ses mains garnies de bagues sur sa canne en bois rouge à pommeau d'argent. Monsieur de Sainte Colombe, devant la porte-fenêtre qui donnait sur le jardin, posa ses mains nues sur le dossier d'une chaise étroite et haute. L'abbé Mathieu commença par prononcer ces mots :

« Les musiciens et les poètes de l'Antiquité aimaient la gloire et ils pleuraient quand les empereurs ou les princes les tenaient éloignés de leur présence. Vous enfouissez votre nom parmi les dindons, les poules et les petits poissons. Vous cachez un talent qui vous vient de Notre-Seigneur dans la poussière et dans la détresse orgueilleuse. Votre réputation est connue du roi et de sa cour, il est donc temps pour vous de brûler vos vêtements de drap, d'accepter ses bienfaits, de vous faire faire une perruque à grappes. Votre fraise est passée de mode et...

— ... c'est moi qui suis passé de mode, Messieurs, s'écria Sainte Colombe, soudain vexé qu'on s'en prît à sa façon de s'habiller. Vous remercierez sa majesté, cria-t-il. Je préfère la lumière du couchant sur mes mains à l'or qu'elle me propose. Je préfère mes vêtements de drap à vos perruques in-folio. Je préfère mes poules aux violons du roi et mes porcs à vous-mêmes.

— Monsieur!»

Mais Monsieur de Sainte Colombe avait brandi la chaise et la soulevait au-dessus de leurs têtes. Il cria encore :

«Quittez-moi et ne m'en parlez plus! Ou je casse cette chaise sur votre tête.»

Toinette et Madeleine étaient effrayées par l'aspect de leur père tenant à bout de bras la chaise au-dessus de sa tête et craignaient qu'il ne se possédât plus. L'abbé Mathieu ne parut pas effrayé et tapota avec sa canne le carreau en disant :

«Vous mourrez desséché comme une petite souris au fond de votre cabinet de planches, sans être connu de personne.»

Monsieur de Sainte Colombe fit tourner la chaise et la brisa sur le manteau de la cheminée, en hurlant de nouveau :

«Votre palais est plus petit qu'une cabane et votre public est moins qu'une personne.»

L'abbé Mathieu s'avança en caressant des doigts sa croix de diamants et dit :

«Vous allez pourrir dans votre boue, dans l'horreur des banlieues, noyé dans votre ruisseau.»

Monsieur de Sainte Colombe était blanc comme du papier, tremblait et voulut saisir une seconde chaise. Monsieur Caignet s'était approché ainsi que Toinette. Monsieur de

Sainte Colombe poussait des « Ah ! » sourds pour reprendre souffle, les mains sur le dossier de la chaise. Toinette dénoua ses doigts et ils l'assirent. Tandis que Monsieur Caignet enfilait ses gants et remettait son chapeau et que l'abbé le traitait d'opiniâtre, il dit tout bas, avec un calme effrayant :

« Vous êtes des noyés. Aussi tendez-vous la main. Non contents d'avoir perdu pied, vous voudriez encore attirer les autres pour les engloutir. »

Le débit de sa voix était lent et saccadé. Le roi aima cette réponse quand l'abbé et le violiste de sa chambre la lui rapportèrent. Il dit qu'on laissât en paix le musicien tout en enjoignant à ses courtisans de ne plus se rendre à ses assemblées de musique parce qu'il était une espèce de récalcitrant et qu'il avait eu partie liée avec ces Messieurs de Port-Royal, avant qu'il les eût dispersés.

Chapitre VI

[ ] l'ecture analytique proposé. présence de trois art : littérature, musique, peinture.

Quinard réunit deux personnages qui ont vécu à peu près la même année dans roman mais ça ne s'est pas vraiment passé.

Pendant plusieurs années ils vécurent dans la paix et pour la musique. Toinette quitta sa petite viole et vint le jour où, une fois par mois, elle mit du linge entre ses jambes. Ils ne donnaient plus qu'un concert toutes les saisons où Monsieur de Sainte Colombe conviait les musiciens ses confrères, quand il les estimait, et auquel il n'invitait pas les seigneurs de Versailles ni même les bourgeois, qui gagnaient en ascendant sur l'esprit du roi. Il notait de moins en moins de compositions nouvelles sur son cahier couvert de cuir rouge et il ne voulut pas les faire imprimer et les soumettre au jugement du public. Il disait qu'il s'agissait là d'improvisations notées dans l'instant et auxquelles l'instant seul servait d'excuse, et non pas des œuvres achevées. Madeleine devenait belle, d'une beauté mince, et pleine d'une curiosité dont elle ne percevait pas le motif et qui lui procurait des sentiments d'angoisse. Toinette progressait en joie, en invention et virtuosité.

Les jours où l'humeur et le temps qu'il faisait lui en laissaient le loisir, il allait à sa barque et, accroché à la rive, dans son ruisseau, il rêvait. Sa barque était vieille et prenait l'eau : elle avait été faite quand le surintendant[1] réorganisait

---

1. Il s'agit de Colbert (1619-1683) qui engagea des travaux pour faciliter les échanges, notamment en construisant un réseau de canaux.

les canaux et était peinte en blanc, encore que les années
eussent écaillé la peinture qui la recouvrait. La barque avait
l'apparence d'une grande viole que Monsieur Pardoux aurait
ouverte. Il aimait le balancement que donnait l'eau, le feuil-
lage des branches des saules qui tombait sur son visage et
le silence et l'attention des pêcheurs plus loin. Il songeait à
sa femme, à l'entrain qu'elle mettait en toutes choses, aux
conseils avisés qu'elle lui donnait quand il les lui demandait,
à ses hanches et à son grand ventre qui lui avaient donné
deux filles qui étaient devenues des femmes. Il écoutait les
chevesnes et les goujons s'ébattre et rompre le silence d'un
coup de queue ou bien au moyen de leurs petites bouches
blanches qui s'ouvraient à la surface de l'eau pour manger
l'air. L'été, quand il faisait très chaud, il faisait glisser ses
chausses et ôtait sa chemise et pénétrait doucement dans
l'eau fraîche jusqu'au col puis, en se bouchant avec les doigts
les oreilles, y ensevelissait son visage.
   Un jour qu'il concentrait son regard sur les vagues de
l'onde, s'assoupissant, il rêva qu'il pénétrait dans l'eau obscure et qu'il y séjournait. Il avait renoncé à toutes les choses
qu'il aimait sur cette terre, les instruments, les fleurs, les
pâtisseries, les partitions roulées, les cerfs-volants, les visages,
les plats d'étain, les vins. Sorti de son songe, il se souvint du
Tombeau des Regrets qu'il avait composé quand son épouse
l'avait quitté une nuit pour rejoindre la mort, il eut très soif
aussi. Il se leva, monta sur la rive en s'accrochant aux
branches, partit chercher sous les voûtes de la cave une
carafe de vin cuit entourée de paille tressée. Il versa sur
la terre battue la couche d'huile qui préservait le vin du
contact de l'air. Dans la nuit de la cave, il prit un verre et il
le goûta. Il gagna la cabane du jardin où il s'exerçait à la
viole, moins, pour dire toute la vérité, dans l'inquiétude de
donner de la gêne à ses filles que dans le souci où il était de
n'être à portée d'aucune oreille et de pouvoir essayer les

positions de la main et tous les mouvements possibles de son archet sans que personne au monde pût porter quelque jugement que ce fût sur ce qu'il lui prenait envie de faire. Il posa sur le tapis bleu clair qui recouvrait la table où il dépliait son pupitre la carafe de vin garnie de paille, le verre à vin à pied qu'il remplit, un plat d'étain contenant quelques gaufrettes enroulées et il joua le Tombeau des Regrets.

Il n'eut pas besoin de se reporter à son livre. Sa main se dirigeait d'elle-même sur la touche de son instrument et il se prit à pleurer. Tandis que le chant montait, près de la porte une femme très pâle apparut qui lui souriait tout en posant le doigt sur son sourire en signe qu'elle ne parlerait pas et qu'il ne se dérangeât pas de ce qu'il était en train de faire. Elle contourna en silence le pupitre de Monsieur de Sainte Colombe. Elle s'assit sur le coffre à musique qui était dans le coin auprès de la table et du flacon de vin et elle l'écouta.

C'était sa femme et ses larmes coulaient. Quand il leva les paupières, après qu'il eut terminé d'interpréter son morceau, elle n'était plus là. Il posa sa viole et, comme il tendait la main vers le plat d'étain, aux côtés de la fiasque, il vit le verre à moitié vide et il s'étonna qu'à côté de lui, sur le tapis bleu, une gaufrette fût à demi rongée.

Chapitre VII

Cette visite ne fut pas seule. Monsieur de Sainte Colombe, après avoir craint qu'il pût être fou, considéra que si c'était folie, elle lui donnait du bonheur, si c'était vérité, c'était un miracle. L'amour que lui portait sa femme était plus grand encore que le sien puisqu'elle venait jusqu'à lui et qu'il était impuissant à lui rendre la pareille. Il prit un crayon et il demanda à un ami appartenant à la corporation des peintres, Monsieur Baugin, qu'il fît un sujet qui représentât la table à écrire près de laquelle sa femme était apparue. Mais il ne parla de cette visitation à personne. Même Madeleine, même Toinette ne surent rien. Il se confiait simplement à sa viole et parfois recopiait sur son cahier en maroquin, sur lequel Toinette avait tiré à la règle des portées, les thèmes que ses entretiens ou que ses rêveries lui avaient inspirés. Dans sa chambre, dont il fermait la porte à clef parce que le désir et le souvenir de sa femme le poussaient parfois à descendre ses braies et à se donner du plaisir avec la main, il posait côte à côte, sur la table près de la fenêtre, sur le mur qui faisait face au grand lit à baldaquin qu'il avait partagé douze années durant avec sa femme, le livre de musique en maroquin rouge et la petite toile qu'il avait commandée à son ami, entourée d'un cadre noir. Il éprouvait en la voyant du bonheur. Il était moins souvent courroucé et ses deux filles le remarquèrent mais n'osèrent pas le lui dire. Au fond de lui, il avait le sentiment que quelque chose s'était achevé. Il avait l'air plus quiet.

Calme tranquille, le contraire d'inquiète. la peinture le console.

Ce chapitre nous explique qu'il va commander un tableau pour se souvenir de sa femme, cette figure de style s'appel la métonymie (elle prend quelque chose qui appartien a ....)

du bonheur. Il était trois souvent... et ses deux
filles le remarquèrent mais... e... pas la lui dire. Al... fond
de lui, c'était le sen... e... e qu'il était achevé.
Il avait l'air plus quiet.

Chapitre VIII

Un jour, un grand enfant de dix-sept ans, rouge comme
la crête d'un vieux coq, vint frapper à leur porte et demanda
à Madeleine s'il pouvait solliciter de Monsieur de Sainte
Colombe qu'il devînt son maître pour la viole et la composition. Madeleine le trouva très beau et le fit entrer dans la
salle. Le jeune homme, la perruque à la main, posa une
lettre pliée en deux et cachetée à la cire verte sur la table.
Toinette revint avec Sainte Colombe qui s'assit à l'autre
extrémité de la table en silence, ne décacheta pas la lettre
et fit signe qu'il écoutait. Madeleine, tandis que le garçon
parlait, disposait sur la grande table, qui était couverte d'une
pièce d'étoffe bleue, une fiasque de vin enveloppée de paille
et une assiette en faïence qui contenait des gâteaux.

Il s'appelait Monsieur Marin Marais. Il était joufflu. Il était
né le 31 mai 1656 et, à l'âge de six ans, avait été recruté à
cause de sa voix pour appartenir à la maîtrise du roi dans
la chantrerie de l'église qui est à la porte du château du
Louvre. Pendant neuf ans, il avait porté le surplis, la robe
rouge, le bonnet carré noir, couché dans le dortoir du
cloître et appris ses lettres, appris à noter, à lire et à jouer
de la viole autant qu'il restait de temps disponible, les enfants
ne cessant de courir à l'office des matines, aux services
chez le roi, aux grand-messes, aux vêpres.

Puis, quand sa voix s'était brisée[1], il avait été rejeté à la rue ainsi que le contrat de chantrerie le stipulait. Il avait honte encore. Il ne savait où se mettre ; les poils lui étaient poussés aux jambes et aux joues ; il barrissait. Il évoqua ce jour d'humiliation dont la date était demeurée inscrite dans son esprit : 22 septembre 1672. Pour la dernière fois, sous le porche de l'église, il s'était arc-bouté, il avait pesé avec son épaule sur la grande porte de bois doré. Il avait traversé le jardin qui bornait le cloître de Saint-Germain-l'Auxerrois. Il y avait vu des quetsches dans l'herbe.

Il se mit à courir dans la rue, passa le For-L'Évêque, descendit la pente brusque qui menait à la grève et s'immobilisa. La Seine était couverte par une lumière immense et épaisse de fin d'été, mêlée à une brume rouge. Il sanglotait et il suivit la rive pour retourner chez son père. Il donnait des coups de pied ou tamponnait les cochons, les oies, les enfants qui jouaient dans l'herbe et la boue craquelée de la grève. Les hommes nus et les femmes en chemise se lavaient dans la rivière, l'eau au mollet.

Cette eau qui coulait entre ces rives était une blessure qui saignait. La blessure qu'il avait reçue à la gorge lui paraissait aussi irrémédiable que la beauté du fleuve. Ce pont, ces tours, la vieille cité, son enfance et le Louvre, les plaisirs de la voix à la chapelle, les jeux dans le petit jardin du cloître, son surplis blanc, son passé, les quetsches violettes reculaient à jamais emportés par l'eau rouge. Son compagnon de dortoir, Delalande, avait encore sa voix et il était resté. Il avait le cœur plein de nostalgie. Il se sentait seul, comme une bête bêlante, le sexe épais et poilu pendant entre les cuisses.

Perruque à la main, il ressentit tout à coup de la honte de ce qu'il venait de dire. Monsieur de Sainte Colombe

---

1. On parle ici de la mue de Marin Marais.

demeurait le dos tout droit, les traits impénétrables. Madeleine tendit vers l'adolescent une des pâtisseries avec un
sourire qui l'encourageait à parler. Toinette s'était assise
sur le coffre, derrière son père, les genoux au menton.
L'enfant poursuivit.

Quand il était arrivé à la cordonnerie, après qu'il eut
salué son père, il n'avait pu retenir plus longtemps ses sanglots et était monté avec précipitation s'enfermer dans la
pièce où on disposait le soir les paillasses, au-dessus de
l'atelier où son père travaillait. Son père, l'enclume ou bien
la forme en fer sur la cuisse, ne cessait de taper ou de râper
le cuir d'un soulier ou d'une botte. Ces coups de marteau
lui faisaient sauter le cœur et l'emplissaient de répugnance.
Il haïssait l'odeur d'urine où les peaux macéraient et l'odeur
fade du seau d'eau sous l'établi où son père laissait à
tremper les contreforts. La cage aux serins et leurs piaille-
ments, le tabouret à lanières qui grinçait, les cris de son
père — tout lui était insupportable. Il détestait les chants
oiseux ou grivois que son père fredonnait, détestait sa
faconde, sa bonté même, même ses rires et ses plaisan-
teries quand un client pénétrait dans l'échoppe. La seule
chose qui avait trouvé grâce aux yeux de l'adolescent le
jour de son retour était la faible lumière qui tombait comme
un fût de la boule à bougies accrochée très bas, juste au-
dessus de l'établi et juste au-dessus des mains calleuses qui
saisissaient le marteau ou qui tenaient l'alêne. Elle colorait
d'un teint plus faible et jaune les cuirs marron, rouges, gris,
verts, qui étaient posés sur les étagères ou qui pendaient,
retenus par des petites cordes de couleur. C'est alors qu'il
s'était dit qu'il allait quitter à jamais sa famille, qu'il deviendrait musicien, qu'il se vengerait de la voix qui l'avait aban-
donné, qu'il deviendrait un violiste renommé.

Monsieur de Sainte Colombe haussa les épaules.

Monsieur Marais, la perruque à la main, comme il la

tripotait, expliqua qu'au sortir de Saint-Germain-l'Auxerrois il était allé chez Monsieur Caignet qui l'avait gardé durant presque un an puis qui l'avait adressé à Monsieur Maugars : c'était le fils du violiste qui avait appartenu à Monsieur de Richelieu. Quand il le reçut, Monsieur Maugars lui demanda s'il avait entendu parler de la renommée de Monsieur de Sainte Colombe et de sa septième corde : il avait conçu un instrument en bois qui couvrait toutes les possibilités de la voix humaine : celle de l'enfant, celle de la femme, celle de l'homme brisée, et aggravée. Durant six mois Monsieur Maugars l'avait fait travailler puis lui avait enjoint d'aller trouver Monsieur de Sainte Colombe, qui habitait au-delà du fleuve, en lui présentant cette lettre et en se recommandant de lui. Le jeune garçon poussa alors la lettre en direction de Monsieur de Sainte Colombe. Ce dernier rompit le cachet, la déplia mais, sans l'avoir lue, désira parler, se leva. C'est ainsi qu'un adolescent qui n'osait plus ouvrir la bouche rencontra un homme taciturne. Monsieur de Sainte Colombe ne parvint pas à s'exprimer, reposa la lettre sur la table et s'approcha de Madeleine et lui murmura que c'était jouer qu'il fallait. Elle quitta la salle. Vêtu de drap noir, la fraise blanche à son cou, Monsieur de Sainte Colombe se dirigea vers la cheminée, près de laquelle il s'assit dans un grand fauteuil à bras.

Pour la première leçon, Madeleine prêta sa viole. Marin Marais était encore plus confus et rouge que lorsqu'il était entré dans la maison. Les filles s'assirent plus près, curieuses de voir comment l'ancien enfant de chœur de Saint-Germain-l'Auxerrois jouait. Il s'accoutuma rapidement à la taille de l'instrument, l'accorda, joua une suite de Monsieur Maugars avec beaucoup d'aisance et de virtuosité.

Il regarda ses auditeurs. Les filles baissaient le nez. Monsieur de Sainte Colombe dit :

«Je ne pense pas que je vais vous admettre parmi mes élèves.»

Un long silence suivit qui fit trembler le visage de l'adolescent. Il cria soudain avec sa voix rauque:

«Au moins dites-moi pourquoi!

— Vous faites de la musique, Monsieur. Vous n'êtes pas musicien.»

Le visage de l'adolescent se figea, les larmes montèrent à ses yeux. Il bégaya de détresse:

«Au moins laissez-moi…»

Sainte Colombe se leva, retourna le grand fauteuil en bois face à l'âtre. Toinette dit:

«Attendez, mon père. Monsieur Marais a peut-être en mémoire un air de sa composition.»

Monsieur Marais inclina la tête. Il s'empressa. Il se pencha aussitôt sur la viole pour l'accorder plus soigneusement qu'il n'avait fait et joua le Badinage en si.

«C'est bien, père. C'est très bien!» dit Toinette quand il eut fini de jouer et elle applaudit.

«Qu'en dites-vous?» demanda Madeleine en se tournant vers son père avec appréhension.

Sainte Colombe était resté debout. Il les quitta brusquement et alla pour sortir. Au moment de franchir la porte de la salle, il tourna son visage, dévisagea l'enfant qui était demeuré assis, la face rouge, épouvantée, et dit:

«Revenez dans un mois. Je vous dirai alors si vous avez assez de valeur pour que je vous compte au nombre de mes élèves.»

Chapitre IX

Le petit air de badinage que lui avait joué l'enfant lui revenait parfois à l'esprit et il en était ému. C'était un air mondain et facile mais qui avait de la tendresse. Il oublia enfin l'air. Il travailla davantage dans la cabane.

La quatrième fois où il sentit le corps de son épouse à ses côtés, détournant les yeux de son visage, il lui demanda :

« Parlez-vous, Madame, malgré la mort ?

— Oui. »

Il frémit parce qu'il avait reconnu sa voix. Une voix basse, du moins contralto. Il avait le désir de pleurer mais n'y parvint pas tant il était surpris, dans le même temps, que ce songe parlât. Le dos tremblant, au bout d'un moment, il trouva le courage pour demander encore :

« Pourquoi venez-vous de temps à autre ? Pourquoi ne venez-vous pas toujours ?

— Je ne sais pas, dit l'ombre en rougissant. Je suis venue parce que ce que vous jouiez m'a émue. Je suis venue parce que vous avez eu la bonté de m'offrir à boire et quelques gâteaux à grignoter.

— Madame ! » s'écria-t-il.

Il se leva aussitôt, plein de violence, au point qu'il fit tomber son tabouret. Il éloigna la viole de son corps parce qu'elle le gênait et la posa contre la paroi de planches, sur sa gauche. Il ouvrit les bras comme s'il entendait déjà l'étreindre. Elle cria :

« Non ! »

Elle se reculait. Il baissa la tête. Elle lui dit :

« Mes membres, mes seins sont devenus froids. »

Elle avait du mal à retrouver son souffle. Elle donnait l'impression de quelqu'un qui a fait un effort trop grand. Elle touchait ses cuisses et ses seins tandis qu'elle disait ces mots. Il baissa la tête de nouveau et elle revint s'asseoir alors sur le tabouret. Quand elle eut recouvré un souffle plus égal, elle lui dit doucement :

« Donnez-moi plutôt un verre de votre vin de couleur rouge pour que j'y trempe mes lèvres. »

Il sortit en hâte, alla au cellier, descendit à la cave. Quand il revint, Madame de Sainte Colombe n'était plus là.

Chapitre X

Quand il arriva pour son deuxième cours, ce fut Madeleine, très mince, les joues roses, qui ouvrit la grande porte cochère.

« Parce que je vais me baigner, dit-elle, je vais relever mes cheveux. »

Sa nuque était rose, avec des petits poils noirs ébouriffés dans la clarté. Comme elle levait ses bras, ses seins se serraient et gonflaient. Ils se dirigèrent vers la cabane de Monsieur de Sainte Colombe. C'était une belle journée de printemps. Il y avait des primevères et il y avait des papillons. Marin Marais portait sa viole à l'épaule. Monsieur de Sainte Colombe le fit entrer dans la cabane sur le mûrier et il l'accepta pour élève en disant :

« Vous connaissez la position du corps. Votre jeu ne manque pas de sentiment. Votre archet est léger et bondit. Votre main gauche saute comme un écureuil et se faufile comme une souris sur les cordes. Vos ornements sont ingénieux et parfois charmants. Mais je n'ai pas entendu de musique. »

Le jeune Marin Marais éprouvait des sentiments mêlés en entendant les conclusions de son maître : il était heureux d'être accepté et il bouillait de colère devant les réserves que Monsieur de Sainte Colombe mettait en avant les unes après les autres sans marquer plus d'émotion que s'il s'était agi d'indiquer au jardinier les boutures et les semences. Ce dernier continuait :

« Vous pourrez aider à danser les gens qui dansent. Vous pourrez accompagner les acteurs qui chantent sur la scène. Vous gagnerez votre vie. Vous vivrez entouré de musique mais vous ne serez pas musicien.

« Avez-vous un cœur pour sentir ? Avez-vous un cerveau pour penser ? Avez-vous idée de ce à quoi peuvent servir les sons quand il ne s'agit plus de danser ni de réjouir les oreilles du roi ?

« Cependant votre voix brisée m'a ému. Je vous garde pour votre douleur, non pour votre art. »

Quand le jeune Marais descendit les marches de la cabane, il vit, dans l'ombre que faisaient les feuillages, une jeune fille longue et nue qui se cachait derrière un arbre et il détourna en hâte la tête pour ne pas sembler l'avoir vue.

Chapitre XI

Les mois passèrent. Un jour où il faisait très froid et où la campagne était recouverte de neige, ils ne purent travailler longtemps qu'ils ne fussent transis. Leurs doigts étaient gourds et ils quittèrent la cabane, regagnèrent la maison et, près de l'âtre, firent chauffer du vin, y ajoutèrent des épices et de la cannelle, et le burent.

« Ce vin réchauffe mes poumons et mon ventre, dit Marin Marais.

— Connaissez-vous le peintre Baugin ? lui demanda Sainte Colombe.

— Non, Monsieur, ni aucun autre peintre.

— Je lui ai naguère passé commande d'une toile. C'est le coin de ma table à écrire qui est dans mon cabinet de musique. Allons-y.

— Sur-le-champ ?

— Oui. »

Marin Marais regardait Madeleine de Sainte Colombe : elle se tenait de profil près de la fenêtre, devant le carreau pris de givre, qui déformait les images du mûrier et des saules. Elle écoutait avec attention. Elle lui lança un regard singulier.

« Allons voir mon ami, disait Sainte Colombe.

— Oui », disait Marin Marais.

Ce dernier, comme il regardait Madeleine, ouvrait son pourpoint, ajustait et relaçait son collet de buffle.

« C'est à Paris, disait Monsieur de Sainte Colombe.

— Oui », lui répondait Marin Marais.

Ils s'emmitouflèrent. Monsieur de Sainte Colombe entoura son visage dans un carré de laine ; Madeleine tendait chapeaux, capes, gants. Monsieur de Sainte Colombe décrocha près de l'âtre le baudrier et l'épée. Ce fut la seule fois où Monsieur Marais vit Monsieur de Sainte Colombe porter l'épée. Le jeune homme tenait les yeux fixés sur l'estocade[1] signée : on y voyait, bosselée, en relief, la figure du nocher[2] infernal, une gaffe à la main.

« Allons, Monsieur », dit Sainte Colombe.

Marin Marais releva la tête et ils sortirent. Marin Marais rêvait au forgeron à l'instant où il avait frappé l'épée sur l'enclume. Il revit la petite enclume de cordonnier que son père posait sur sa cuisse et sur laquelle il frappait avec son marteau. Il rêva à la main de son père et à la callosité qu'y avait empreinte le marteau quand il la passait sur sa joue, le soir, quand il était âgé de quatre ou cinq ans, avant qu'il quittât l'échoppe pour la chantrerie. Il songea que chaque métier avait ses mains : les cals aux gras des doigts de la main gauche des gambistes, les durillons aux pouces droits des savetiers-bottiers. Il neigeait quand ils sortirent de la maison de Monsieur de Sainte Colombe. Ce dernier était enveloppé dans une grande cape brune et on ne voyait que ses yeux sous son carré de laine. Ce fut l'unique fois où Monsieur Marais vit son maître au-dehors de son jardin ou de sa maison. Il passait pour ne jamais les quitter. Ils rejoignirent la Bièvre en aval. Le vent sifflait ; leurs pas faisaient

---

1. Épée.
2. Désigne Charon, celui qui fait traverser aux défunts le fleuve des Enfers pour qu'ils gagnent le séjour des morts.

craquer la terre prise de gel. Sainte Colombe avait saisi son élève par le bras et il posait son doigt sur ses lèvres en signe de se taire. Ils marchaient bruyamment, le haut du corps penché vers la route, luttant contre le vent qui venait frapper leurs yeux ouverts.

« Vous entendez, Monsieur, cria-t-il, comment se détache l'aria par rapport à la basse. »

Chapitre XII

« C'est Saint-Germain-l'Auxerrois, dit Monsieur de Sainte Colombe.

— Je le sais plus qu'un autre. J'y ai chanté dix ans, Monsieur.

— Voici », dit Monsieur de Sainte Colombe.

Il frappait le marmot[1]. C'était une porte étroite de bois ouvragé. On entendit sonner le carillon de Saint-Germain-l'Auxerrois. Une vieille femme passa la tête. Elle portait une ancienne coiffe en pointe sur le front. Ils se retrouvèrent près du poêle dans l'atelier de Monsieur Baugin. Le peintre était occupé à peindre une table : un verre à moitié plein de vin rouge, un luth couché, un cahier de musique, une bourse de velours noir, des cartes à jouer dont la première était un valet de trèfle, un échiquier sur lequel étaient disposés un vase avec trois œillets et un miroir octogonal appuyé contre le mur de l'atelier.

« Tout ce que la mort ôtera est dans sa nuit », souffla Sainte Colombe dans l'oreille de son élève. « Ce sont tous les plaisirs du monde qui se retirent en nous disant adieu. »

Monsieur de Sainte Colombe demanda au peintre s'il pouvait recouvrer la toile qu'il lui avait empruntée : le

---

1. L'expression signifie cogner vivement le heurtoir de la porte.

peintre avait voulu la montrer à un marchand des Flandres
qui en avait tiré une copie. Monsieur Baugin fit un signe à la
vieille femme qui portait la coiffe en pointe sur le front ; elle
s'inclina et alla chercher les gaufrettes entourées d'ébène. Il
la montra à Monsieur Marais, pointant le doigt sur le verre
à pied et sur l'enroulement des petites pâtisseries jaunes.
Puis la vieille femme impassible s'occupa à l'envelopper de
chiffons et de cordes. Ils regardèrent le peintre peindre.
Monsieur de Sainte Colombe souffla de nouveau dans
l'oreille de Monsieur Marais :

« Écoutez le son que rend le pinceau de Monsieur
Baugin. »

Ils fermèrent les yeux et ils l'écoutèrent peindre. Puis
Monsieur de Sainte Colombe dit :

« Vous avez appris la technique de l'archet. »

Comme Monsieur Baugin se retournait et les interro-
geait sur ce qu'ils murmuraient entre eux :

« Je parlais de l'archet et je le comparais à votre pinceau,
dit Monsieur de Sainte Colombe.

— Je crois que vous vous égarez, dit le peintre en riant.
J'aime l'or. Personnellement je cherche la route qui mène
jusqu'aux feux mystérieux. »

Ils saluèrent Monsieur Baugin. La coiffe blanche en pointe
s'inclina sèchement devant eux tandis que la porte se
refermait dans leur dos. Dans la rue la neige avait redoublé
de violence et d'épaisseur. Ils n'y voyaient rien et trébu-
chaient dans la couche de la neige. Ils entrèrent dans un jeu
de paume qui se trouvait là. Ils prirent un bol de soupe
et le burent, soufflant sur la vapeur qui l'enveloppait, en
marchant dans les salles. Ils virent des seigneurs qui jouaient
entourés de leurs gens. Les jeunes dames qui les accompa-
gnaient applaudissaient aux meilleurs coups. Ils virent dans
une autre salle, montées sur des tréteaux, deux femmes qui
récitaient. L'une disait d'une voix soutenue :

«Ils brillaient au travers des flambeaux et des armes. Belle, sans ornements, dans le simple appareil d'une beauté qu'on vient d'arracher au sommeil. Que veux-tu? Je ne sais si cette négligence, les ombres, les flambeaux, les cris et le silence...»

L'autre répondait lentement, à l'octave plus basse:

«J'ai voulu lui parler et ma voix s'est perdue. Immobile, saisi d'un long étonnement, de son image en vain j'ai voulu me distraire. Trop présente à mes yeux, je croyais lui parler, j'aimais jusqu'à ses pleurs que je faisais couler...»

Tandis que les actrices déclamaient avec de grands gestes étranges, Sainte Colombe chuchotait à l'oreille de Marais:

«Voilà comment s'articule l'emphase d'une phrase. La musique aussi est une langue humaine.»

Ils sortirent du jeu de paume. La neige avait cessé de tomber mais arrivait à la hauteur de leurs bottes. La nuit était là sans qu'il y eût de lune ni d'étoiles. Un homme passa avec une torche qu'il protégeait avec la main et ils le suivirent. Quelques flocons tombaient encore.

Monsieur de Sainte Colombe arrêta son disciple en lui prenant le bras: devant eux un petit garçon avait descendu ses chausses et pissait en faisant un trou dans la neige. Le bruit de l'urine chaude crevant la neige se mêlait au bruit des cristaux de la neige qui fondaient à mesure. Sainte Colombe tenait une fois encore le doigt sur ses lèvres.

«Vous avez appris le détaché des ornements, dit-il.

— C'est aussi une descente chromatique[1]», rétorqua Monsieur Marin Marais.

Monsieur de Sainte Colombe haussa les épaules.

«Je mettrai une descente chromatique dans votre tombeau, Monsieur.»

_____

1. Suite de notes séparées par des intervalles égaux.

C'est ce qu'il fit en effet, des années plus tard. Monsieur Marais ajouta :

« Peut-être la véritable musique est-elle liée au silence ?

— Non », dit Monsieur de Sainte Colombe. Il était en train de remettre le carré de laine sur sa tête et enfonça son chapeau pour le retenir. Déplaçant le baudrier de son épée qui entravait ses jambes, tenant toujours serrées les gaufrettes sous son bras, il se retourna et pissa lui-même contre le mur. Il pivota de nouveau vers Monsieur Marais en disant :

« La nuit est avancée. J'ai froid aux pieds. Je vous donne mon salut. »

Il le quitta tout à trac.

Chapitre XIII

C'était le commencement du printemps. Il le poussait hors de la cabane. Chacun la viole à la main, sans un mot, sous la pluie fine, ils traversèrent le jardin en direction de la maison où ils entrèrent en faisant du vacarme. Il appela en criant ses filles. Il avait l'air courroucé. Il dit :

« Allez, Monsieur. Allez. Il s'agit de faire naître une émotion dans nos oreilles. »

Toinette descendit l'escalier en courant. Elle s'assit près de la porte-fenêtre. Madeleine vint embrasser Marin Marais qui lui dit, tout en disposant sa viole entre ses jambes et en cherchant l'accord, qu'il avait joué devant le roi à la chapelle. Les yeux de Madeleine se firent plus graves. L'atmosphère était tendue, pareille à une corde sur le point de rompre. Tandis que Madeleine essuyait les gouttes de pluie sur la viole avec son tablier, Marin Marais répétait en chuchotant à son oreille :

« Il est furieux parce que j'ai joué hier devant le roi à la chapelle. »

Le visage de Monsieur de Sainte Colombe se rembrunit encore. Toinette fit un signe. Sans s'en soucier, Marin Marais expliquait à Madeleine qu'on avait glissé sous les pieds de la reine une chaufferette à charbon. La chaufferette...

« Jouez ! dit Monsieur de Sainte Colombe.

« — Regarde, Madeleine. J'ai brûlé le bas de ma viole.
C'est un des gardes qui a remarqué que ma viole brûlait et
qui m'a fait signe avec sa pique. Elle n'est pas brûlée. Elle
n'est pas vraiment brûlée. Elle est noircie et... »

Deux mains claquèrent avec une grande violence sur le
bois de la table. Tous sursautèrent. Monsieur de Sainte
Colombe hurla entre ses dents :

« Jouez !

— Madeleine, regarde ! continuait Marin.

— Joue ! » dit Toinette.

Sainte Colombe courut à travers la salle, lui arracha l'instrument des mains.

« Non ! » cria Marin qui se leva pour récupérer sa viole.
Monsieur de Sainte Colombe ne se possédait plus. Il bran-
dissait la viole en l'air. Marin Marais le poursuivait dans la
salle tendant les bras pour reprendre son instrument et
l'empêcher de faire une chose monstrueuse. Il criait : « Non !
Non ! » Madeleine, figée de terreur, tordait son tablier entre
ses mains. Toinette s'était levée et courait après eux.

Sainte Colombe s'approcha de l'âtre, dressa la viole en
l'air, la fracassa sur le manteau de pierre de la cheminée. Le
miroir qui le surplombait se rompit sous le choc. Marin
Marais s'était accroupi soudain et hurlait. Monsieur de Sainte
Colombe jeta ce qui restait de la viole à terre, sautait
dessus avec ses bottes à entonnoir. Toinette tirait par le
pourpoint son père en prononçant son nom. Au bout d'un
moment, tous les quatre se turent. Ils se tenaient immobiles
et hébétés. Ils regardaient sans comprendre le saccage.
Monsieur de Sainte Colombe, la tête baissée, pâle, ne regardait que ses mains. Il cherchait à soupirer des « Ah ! Ah ! »
de douleur. Il ne le pouvait pas.

« Mon père, mon père ! » disait Toinette en étreignant les
épaules et le dos de son père en sanglotant.

Il mouvait ses doigts et poussait peu à peu des petits cris

«Ah! Ah!» comme un homme qui se noie sans retrouver le souffle. Enfin il quitta la pièce. Monsieur Marais pleurait dans les bras de Madeleine qui s'était agenouillée auprès de lui et qui tremblait. Monsieur de Sainte Colombe revint avec une bourse dont il dénouait le lacet. Il compta les louis qu'elle contenait, s'approcha, jeta la bourse aux pieds de Marin Marais et se retira. Marin Marais cria dans son dos en se remettant debout :

«Monsieur, vous pourriez rendre raison de ce que vous avez fait!»

Monsieur de Sainte Colombe se retourna et dit avec calme :

«Monsieur, qu'est-ce qu'un instrument? Un instrument n'est pas la musique. Vous avez là de quoi vous racheter un cheval de cirque pour pirouetter devant le roi.»

Madeleine pleurait dans sa manche en cherchant elle-même à se relever. Les sanglots faisaient frissonner son dos. Elle demeurait à genoux entre eux.

«Écoutez, Monsieur, les sanglots que la douleur arrache à ma fille : ils sont plus près de la musique que vos gammes. Quittez à jamais la place, Monsieur, vous êtes un très grand bateleur. Les assiettes volent au-dessus de votre tête et jamais vous ne perdez l'équilibre mais vous êtes un petit musicien. Vous êtes un musicien de la taille d'une prune ou bien d'un hanneton. Vous devriez jouer à Versailles, c'est-à-dire sur le Pont-Neuf, et on vous jetterait des pièces pour boire.»

Monsieur de Sainte Colombe quitta la salle en lançant la porte derrière lui. Monsieur Marais courut lui-même vers la cour pour partir. Les portes claquaient.

Madeleine courut derrière lui sur la route, le rejoignit. La pluie avait cessé. Elle le prit par les épaules. Il pleurait.

«Je vous enseignerai tout ce que mon père m'a appris, lui dit-elle.

— Votre père est un homme méchant et fou, dit Marin Marais.

— Non.»

En silence, elle faisait «Non» avec la tête. Elle dit encore une fois:

«Non.»

Elle vit ses larmes qui coulaient et essuya l'une d'entre elles. Elle aperçut les mains de Marin qui s'approchaient des siennes, toutes nues sous la pluie qui avait repris. Elle avança ses doigts. Ils se touchèrent et ils sursautèrent. Puis ils étreignirent leurs mains, avancèrent leurs ventres, avancèrent leurs lèvres. Ils s'embrassèrent.

Chapitre XIV

Marin Marais venait en cachette de Monsieur de Sainte Colombe. Madeleine lui montrait sur sa viole tous les tours que son père lui avait enseignés. Debout devant lui, elle les lui faisait répéter, disposant sa main sur la touche, disposant le mollet pour repousser l'instrument en avant et le faire résonner, disposant le coude et le haut du bras droit pour l'archet. Ainsi ils se touchaient. Puis ils se baisèrent dans les coins d'ombre. Ils s'aimèrent. Ils se mussaient[1] parfois sous la cabane de Sainte Colombe pour entendre à quels ornements il en était venu, comment progressait son jeu, à quels accords ses préférences allaient désormais.

Quand il eut vingt ans, durant l'été 1676, Monsieur Marais annonça à Mademoiselle de Sainte Colombe qu'il était engagé à la cour comme «musicqueur du roy». Ils étaient au jardin; elle le poussait pour qu'il s'installe sous le cabinet de planche édifié dans les branches basses du vieux mûrier. Elle lui avait tout donné de sa pratique.

Il arriva un jour que l'orage éclata alors que Marin Marais s'était embusqué sous la cabane et qu'ayant pris froid il éternua violemment à plusieurs reprises. Monsieur de Sainte Colombe sortit sous la pluie, le surprit le menton dans les

---

1. Se cacher.

genoux sur la terre humide et lui donna des coups de pied en appelant ses gens. Il parvint à le blesser aux pieds et aux genoux et à le faire sortir, le prit au collet, demanda au valet le plus proche qu'il allât quérir le fouet. Madeleine de Sainte Colombe s'interposa. Elle dit à son père qu'elle aimait Marin, le calma enfin. Les nuages de l'orage étaient passés aussi vite qu'ils avaient été violents et ils tirèrent au jardin des fauteuils de toile dans lesquels ils s'assirent.

« Je ne veux plus vous voir, Monsieur. C'est la dernière fois, dit Sainte Colombe.

— Vous ne me verrez plus.

— Désirez-vous épouser ma fille aînée ?

— Je ne puis encore donner ma parole.

— Toinette est chez le luthier et rentrera tard », dit Madeleine en détournant son visage.

Elle vint s'asseoir dans l'herbe auprès de Marin Marais, adossée à la grande chaise de toile de son père. L'herbe était déjà presque séchée et sentait fort le foin. Son père regardait, au-delà du saule, les forêts vertes. Elle regarda la main de Marin qui l'approchait lentement. Il posa ses doigts sur le sein de Madeleine et glissa lentement jusqu'au ventre. Elle serra les jambes et frissonna. Monsieur de Sainte Colombe ne pouvait les voir. Il était occupé à parler :

« Je ne sais pas si je vous donnerai ma fille. Sans doute avez-vous trouvé une place qui est d'un bon rapport. Vous vivez dans un palais et le roi aime les mélodies dont vous entourez ses plaisirs. À mon avis, peu importe qu'on exerce son art dans un grand palais de pierre à cent chambres ou dans une cabane qui branle dans un mûrier. Pour moi il y a quelque chose de plus que l'art, de plus que les doigts, de plus que l'oreille, de plus que l'invention : c'est la vie passionnée que je mène.

— Vous vivez une vie passionnée ? dit Marin Marais.

— Père, vous menez une vie passionnée ? »

Madeleine et Marin avaient parlé en même temps et en même temps avaient dévisagé le vieux musicien.

« Monsieur, vous plaisez à un roi visible. Plaire ne m'a pas convenu. Je hèle, je vous le jure, je hèle avec ma main une chose invisible.

— Vous parlez par énigmes. Je n'aurai jamais bien compris ce que vous vouliez dire.

— Et c'est pourquoi je n'escomptais pas que vous cheminiez à mes côtés, sur mon pauvre chemin d'herbes et de pierrailles. J'appartiens à des tombes. Vous publiez des compositions habiles et vous y ajoutez ingénieusement des doigtés et des ornements que vous me volez. Mais ce ne sont que des noires et des blanches sur du papier ! »

Avec son mouchoir, Marin Marais effaçait les traces de sang sur ses lèvres. Il se pencha soudain vers son maître.

« Monsieur, il y a longtemps que je souhaite vous poser une question.

— Oui.

— Pourquoi ne publiez-vous pas les airs que vous jouez ?

— Oh ! mes enfants, je ne compose pas ! Je n'ai jamais rien écrit. Ce sont des offrandes d'eau, des lentilles d'eau, de l'armoise [1], des petites chenilles vivantes que j'invente parfois en me souvenant d'un nom et des plaisirs.

— Mais où est la musique dans vos lentilles et vos chenilles ?

— Quand je tire mon archet, c'est un petit morceau de mon cœur vivant que je déchire. Ce que je fais, ce n'est que la discipline d'une vie où aucun jour n'est férié. J'accomplis mon destin. »

---

1. Plante herbacée aromatique.

Chapitre XV

D'un côté les Libertins étaient tourmentés, de l'autre les Messieurs de Port-Royal étaient en fuite. Ceux-ci avaient eu le projet d'acheter une île en Amérique et de s'y établir comme les Puritains persécutés l'avaient fait. Monsieur de Sainte Colombe avait conservé des liens d'amitié avec Monsieur de Bures. Monsieur Coustel disait que les Solitaires poussaient l'excès d'humiliation au point qu'ils préféraient le mot monsieur au mot même de saint. Rue Saint-Dominique-d'Enfer, les enfants aussi se disaient entre eux « Monsieur » et ils ne se tutoyaient pas. Parfois un de ces Messieurs lui faisait envoyer un carrosse pour qu'il vînt jouer pour la mort d'un des leurs ou pour les Ténèbres[1]. Monsieur de Sainte Colombe ne pouvait s'empêcher alors de songer à son épouse et aux circonstances qui avaient précédé sa mort. Il vivait un amour que rien ne diminuait. Il lui semblait que c'était le même amour, le même abandon, la même nuit, le même froid. Un mercredi saint, alors qu'il avait joué lors de l'office des Ténèbres dans la chapelle de

---

1. Le mercredi saint, dernier mercredi avant la célébration de Pâques, marque la trahison de Judas. Les leçons des Ténèbres étaient chantées les mercredi, jeudi et vendredi saints, sur les lamentations de Jérémie. Ce genre musical, spécifiquement français, est représenté notamment par Charpentier et Couperin.

l'hôtel de Madame de Pont-Carré, il avait rangé sa partie et s'apprêtait à s'en retourner. Il était assis dans la petite allée latérale, sur une chaise en paille. Sa viole était posée à ses côtés, recouverte de sa housse. L'organiste et deux sœurs interprétaient un morceau nouveau qu'il ne connaissait pas et qui était beau. Il tourna sa tête sur sa droite : elle était assise à ses côtés. Il inclina la tête. Elle lui sourit, leva un peu la main ; elle portait des mitaines noires et des bagues.

« Maintenant il faut rentrer », dit-elle.

Il se leva, prit sa viole et la suivit dans l'obscurité de l'allée, longeant les statues des saints couverts de linges violets.

Dans la ruelle il ouvrit la porte du carrosse, déplia le marchepied et monta après elle en mettant sa viole devant lui. Il dit au cocher qu'il rentrait. Il sentit la douceur de la robe de son épouse près de lui. Il lui demanda s'il lui avait bien témoigné autrefois à quel point il l'aimait.

« J'ai en effet le souvenir que vous me témoigniez votre amour, lui dit-elle, encore que je n'eusse pas été blessée si vous me l'aviez exprimé de façon un peu plus bavarde.

— Était-ce si pauvre et si rare ?

— C'était aussi pauvre que fréquent, mon ami, et le plus souvent muet. Je vous aimais. Comme j'aimerais encore vous proposer des pêches écrasées ! »

Le carrosse s'arrêta. Ils étaient déjà devant la maison. Il était sorti du carrosse et lui tendit la main pour qu'elle descendît à son tour.

« Je ne puis pas », dit-elle.

Il eut un air de douleur qui donna à Madame de Sainte Colombe le désir de porter la main vers lui.

« Vous n'avez pas l'air bien », dit-elle.

Il sortit la viole habillée de sa housse et la posa sur le chemin. Il s'assit sur le marchepied et il pleura.

Elle était descendue. Il se releva en hâte et ouvrit la porte cochère. Ils traversèrent la cour pavée, grimpèrent le perron, pénétrèrent dans la salle où il laissa sa viole contre la pierre de cheminée. Il lui disait :

« Ma tristesse est indéfinissable. Vous avez raison de m'adresser ce reproche. La parole ne peut jamais dire ce dont je veux parler et je ne sais comment le dire… »

Il poussa la porte qui donnait sur la balustrade et le jardin de derrière. Ils marchèrent sur la pelouse. Il montra du doigt la cabane en disant :

« Voilà la cabane où je parle ! »

Il s'était mis de nouveau à pleurer doucement. Ils allèrent jusqu'à la barque. Madame de Sainte Colombe monta dans la barque blanche tandis qu'il en retenait le bord et la maintenait près de la rive. Elle avait retroussé sa robe pour poser le pied sur le plancher humide de la barque. Il se redressa. Il tenait les paupières baissées. Il ne vit pas que la barque avait disparu. Il reprit au bout d'un certain temps, les larmes glissant sur ses joues :

« Je ne sais comment dire, Madame. Douze ans ont passé mais les draps de notre lit ne sont pas encore froids. »

Chapitre XVI

Les visites de Monsieur Marais devinrent plus exceptionnelles. Madeleine le rejoignait à Versailles ou à Vauboyen où ils s'aimaient dans une chambre d'auberge. Madeleine lui confiait tout. C'est ainsi qu'elle lui avoua que son père avait composé les airs les plus beaux qui fussent au monde et qu'il ne les faisait entendre à personne. Il y avait les Pleurs. Il y avait la Barque de Charon.

Une fois ils eurent peur. Ils étaient à la maison parce que Marin Marais cherchait à surprendre, en se glissant sous les branches du mûrier, les airs dont Madeleine lui avait parlé. Elle était debout devant lui, dans la salle. Marin était assis. Elle s'était approchée. Elle tendait ses seins en avant, près de son visage. Elle dégrafa le haut de sa robe, écarta sa chemise de dessous. Sa gorge jaillit. Marin Marais ne put qu'y jeter son visage.

« Manon ! » criait Monsieur de Sainte Colombe.

Marin Marais se cacha dans l'encoignure de la fenêtre la plus proche. Madeleine était pâle et remettait en hâte sa chemise de dessous.

« Oui, mon père.

— Il faut que nous fassions nos gammes par tierce et quinte.

— Oui, mon père. »

Il entra. Monsieur de Sainte Colombe ne vit pas Marin Marais. Ils partirent aussitôt. Quand, au loin, il les entendit s'accorder, Marin Marais sortit de son encoignure et voulut quitter de façon furtive la demeure en passant par le jardin. Il tomba sur Toinette, accoudée à la balustrade, qui contemplait le jardin. Elle l'arrêta par le bras.

« Et moi, comment me trouves-tu ? »

Elle tendit ses seins comme avait fait sa sœur. Marin Marais rit, l'embrassa et s'esquiva en se précipitant.

Chapitre XVII

Une autre fois, à quelque temps de là, un lit d'été, alors que Guignotte, Madeleine et Toinette étaient convenues d'aller à la chapelle nettoyer les statues des saints, enlever les toiles d'araignée, laver le pavé, épousseter les chaises et les bancs, fleurir l'autel, Marin Marais les accompagna. Il monta à la tribune et joua une pièce d'orgue. En bas, il voyait Toinette qui frottait avec une serpillière le pavé et les marches qui entouraient l'autel. Elle lui fit signe. Il descendit. Il faisait très chaud. Ils se prirent la main, passèrent par la porte de la sacristie, traversèrent en courant le cimetière, sautèrent le muret et se retrouvèrent dans les buissons à la limite du bois.

Toinette était tout essoufflée. Sa robe laissait voir le haut des seins qui luisaient de sueur. Elle avait les yeux qui brillaient. Elle tendit les seins en avant.

« La sueur mouille le bord de ma robe, dit-elle.

— Vous avez des seins plus gros que ceux de votre sœur. »

Il regardait ses seins. Il voulut approcher ses lèvres, lui prit les bras, voulut se séparer d'elle et repartir. Il avait l'air égaré.

« J'ai le ventre tout chaud », lui dit-elle en prenant sa main et en la mettant entre les siennes. Elle le tira à elle.

«Votre sœur...», murmurait-il et il l'enferma dans ses bras. Ils s'étreignaient. Il baisait ses yeux. Il désordonna sa chemise.

«Mettez-vous nu et prenez-moi», lui dit-elle.

C'était encore une enfant. Elle répétait:

«Mettez-moi nue! Puis mettez-vous nu!»

Son corps était celui d'une femme ronde et épaisse. Après qu'ils se furent pris, à l'instant de passer sa chemise, nue, illuminée de côté par la lumière du jour finissant, les seins lourds, les cuisses se détachant sur le fond des feuillages du bois, elle lui parut la plus belle femme du monde.

«Je n'ai pas honte, dit-elle.

— J'ai honte.

— J'ai eu du désir.»

Il l'aida à lacer sa robe. Elle levait les bras et les tenait ployés en l'air. Il serrait la taille. Elle ne portait pas de pantalon sous sa chemise. Elle dit:

«En plus, maintenant, Madeleine va devenir maigre.»

Chapitre XVIII

Ils étaient à demi nus dans la chambre de Madeleine. Marin Marais s'adossa au montant du lit. Il lui disait :

« Je vous quitte. Vous avez vu que je n'avais plus rien au bout de mon ventre pour vous. »

Elle prit ses mains et lentement, mettant son visage dans les deux mains de Marin Marais, elle se mit à pleurer. Il poussa un soupir. L'embrasse qui retenait le rideau du lit tomba tandis qu'il tirait sur ses chausses pour les lacer. Elle lui prit des mains les cordons des chausses et y porta ses lèvres.

« Vos larmes sont douces et me touchent. Je vous abandonne parce que je ne songe plus à vos seins dans mes rêves. J'ai vu d'autres visages. Nos cœurs sont des affamés. Notre esprit ne connaît pas le repos. La vie est belle à proportion qu'elle est féroce, comme nos proies. »

Elle se taisait, jouait avec les cordons, caressait son ventre et ne le regardait pas. Elle releva la tête, lui fit face soudain, toute rouge, lui murmurant :

« Arrête de parler et va-t'en ! »

Chapitre XIX

Mademoiselle de Sainte Colombe tomba malade et devint si maigre et si faible qu'elle s'alita. Elle était grosse. Marin Marais n'osait prendre de ses nouvelles mais il avait convenu avec Toinette d'un jour où il venait, au-delà du lavoir sur la Bièvre. Là, il donnait du foin à son cheval et il s'enquérait des nouvelles sur la grossesse de Madeleine. Elle accoucha d'un petit garçon qui était mort-né. Il confia à Toinette un paquet qu'elle remit à sa sœur : il contenait des chaussures montantes jaunes en veau à lacets, que son père avait confectionnées à sa demande. Madeleine voulut les mettre à cuire dans l'âtre mais Toinette l'en empêcha. Elle se rétablit. Elle lut les Pères du désert[1]. Le temps passant, il cessa de venir.

En 1675, il travaillait la composition avec Monsieur Lully. En 1679, Caignet mourut. Marin Marais, à vingt-trois ans, fut nommé Ordinaire de la Chambre du roi, prenant la place de son premier maître. Il assuma aussi la direction d'orchestre auprès de Monsieur Lully. Il composa des opéras. Il se maria avec Catherine d'Amicourt et il en eut dix-neuf

---

1. Ces moines, qui vécurent principalement en Égypte au IVe siècle, ont laissé des préceptes qui furent réunis un siècle plus tard en recueil.

enfants. L'année où on ouvrit les charniers de Port-Royal (l'année où le roi exigea par écrit qu'on rasât les murs, qu'on exhumât les corps de Messieurs Hamon et Racine et qu'on les donnât aux chiens), il reprit le thème de la Rêveuse.

En 1686, il habitait rue du jour, près de l'église Saint-Eustache. Toinette avait épousé Monsieur Pardoux le fils, qui était, comme son père, luthier dans la Cité, et dont elle eut cinq enfants.

Chapitre XX

La neuvième fois où il sentit près de lui que son épouse était venue le rejoindre, c'était au printemps. C'était lors de la grande persécution de juin 1679[1]. Il avait sorti le vin et le plat de gaufrettes sur la table à musique. Il jouait dans la cabane. Il s'interrompit et lui dit :

« Comment est-il possible que vous veniez ici, après la mort ? Où est ma barque ? Où sont mes larmes quand je vous vois ? N'êtes-vous pas plutôt un songe ? Suis-je un fou ?

— Ne soyez pas dans l'inquiétude. Votre barque est pourrie depuis longtemps dans la rivière. L'autre monde n'est pas plus étanche que ne l'était votre embarcation.

— Je souffre, Madame, de ne pas vous toucher.

— Il n'y a rien, Monsieur, à toucher que du vent. »

Elle parlait lentement comme font les morts. Elle ajouta :

« Croyez-vous qu'il n'y ait pas de souffrance à être du vent ? Quelquefois ce vent porte jusqu'à nous des bribes de

---

1. Louis XIV a mis fin en 1668, avec la « Paix de l'Église », aux persécutions que subissaient les Jansénistes. En 1679, les persécutions reprennent : le nouvel archevêque de Paris fait expulser du monastère de Port-Royal-des-Champs les novices et les confesseurs et interdit tout recrutement. Les principales figures jansénistes décident alors de s'exiler : Pierre Nicole s'installe dans les Flandres jusqu'en 1683, Antoine Arnauld se réfugie à Bruxelles en 1680.

musique. Quelquefois la lumière porte jusqu'à vos regards des morceaux de nos apparences.»

Elle se tut encore. Elle regardait les mains de son mari, qu'il avait posées sur le bois rouge de la viole.

«Comme vous ne savez pas parler! dit-elle. Que voulez-vous, mon ami? Jouez.

— Que regardiez-vous en vous taisant?

— Jouez donc! Je regardais votre main vieillie sur le bois de la viole.»

Il s'immobilisa. Il regarda son épouse puis, pour la première fois de sa vie, ou du moins comme s'il ne l'avait jamais vue jusque-là, il regarda sa main émaciée, jaune, à la peau desséchée en effet. Il mit devant lui ses deux mains. Elles étaient tachées par la mort et il en fut heureux. Ces marques de vieillesse le rapprochaient d'elle ou de son état. Son cœur battait à rompre par la joie qu'il éprouvait et ses doigts tremblaient.

«Mes mains, disait-il. Vous parlez de mes mains!»

Chapitre XXI

À cette heure, le soleil avait déjà disparu. Le ciel était rempli de nuages de pluie et il faisait sombre. L'air était plein d'humidité et laissait pressentir une averse prochaine. Il suivit la Bièvre. Il revit la maison et sa tourelle et se heurta aux hauts murs qui la protégeaient. Au loin, par instants, il percevait le son de la viole de son maître. Il en fut ému. Il suivit le mur jusqu'à la rive et, empoignant les racines d'un arbre qu'une crue du ruisseau avait mises à nu, il parvint à contourner le mur et à rejoindre le talus de la rive qui appartenait aux Sainte Colombe. Du grand saule, il ne restait plus que le tronc. La barque n'était plus là non plus. Il se dit : « Le saule est rompu. La barque a coulé. J'ai aimé des filles qui sont sans doute des mères. J'ai connu leur beauté. » Il ne vit pas les poules ni les oies s'empresser autour de ses mollets : Madeleine ne devait plus habiter ici. Autrefois elle les rentrait le soir dans leur cabane et on les entendait piailler et s'ébrouer dans la nuit.

Il se glissa dans l'ombre du mur et, se guidant au son de la viole, s'approcha de la cabane de son maître et, s'enveloppant dans son manteau de pluie, il approcha l'oreille de la cloison. C'étaient de longues plaintes arpégées. Elles ressemblaient aux airs qu'improvisait Couperin le jeune, dans ce temps-là, sur les orgues de Saint-Gervais. Par le petit créneau de la fenêtre filtrait la lueur d'une bougie. Puis, comme la viole avait cessé de résonner, il l'entendit parler à quelqu'un, bien qu'il ne perçût pas les réponses.

« Mes mains, disait-il. Vous parlez de mes mains ! »

Et aussi :

« Que regardiez-vous en vous taisant ? »

Au bout d'une heure, Monsieur Marais repartit en empruntant le même chemin difficile par où il était venu.

Chapitre XXII

Durant l'hiver 1684 un saule s'était rompu sous le poids de la glace et la rive en était abîmée. Par le trou des feuillages on voyait la maison d'un bûcheron dans la forêt. Monsieur de Sainte Colombe avait été très affecté par ce bris d'un saule parce qu'il coïncida avec la maladie de sa fille Madeleine. Il venait près du lit de sa fille aînée. Il souffrait, il cherchait, il ne trouvait rien à lui dire. Il caressait le visage osseux de sa fille avec ses vieilles mains. Un soir, lors de l'une de ces visites, elle demanda à son père qu'il jouât la Rêveuse qu'avait composée pour elle jadis Monsieur Marais, du temps où il l'aimait. Il refusa et quitta la chambre fort courroucé. Pourtant Monsieur de Sainte Colombe, à peu de temps de là, alla trouver Toinette dans l'île, dans l'atelier de Monsieur Pardoux, et lui demanda d'avertir Monsieur Marais. Il s'ensuivit la tristesse qu'on sait. Non seulement il ne parla plus durant dix mois mais Monsieur de Sainte Colombe ne toucha plus sa viole : c'était la première fois que ce dégoût lui naissait. Guignotte était morte. Il n'avait jamais usé d'elle, ni touché ses cheveux qu'elle portait dénoués dans le dos, quoiqu'il l'eût convoitée. Plus personne ne lui préparait sa pipe de terre et son pichet de vin. Il disait aux valets qu'ils pouvaient aller dans leur soupente se coucher ou jouer aux cartes. Il préférait rester seul, avec un chandelier, assis près de la table, ou avec un bougeoir, dans sa cabane. Il ne lisait pas. Il n'ouvrait pas son livre de maroquin rouge. Il recevait ses élèves sans un regard et en se tenant immobile, si bien qu'il fallut leur dire de ne plus se déranger pour venir faire de la musique.

Dans ces temps-là, Monsieur Marais venait tard dans la soirée et écoutait, l'oreille collée à la paroi de planches, le silence.

Chapitre XXIII

Une après-midi, Toinette et Luc Pardoux étaient venus trouver Monsieur Marais alors que celui-ci était de service à Versailles : Madeleine de Sainte Colombe avait une grande fièvre soudaine, due à la petite vérole. On craignait qu'elle ne mourût. Un garde prévint l'Ordinaire de la Chambre qu'une Toinette l'attendait sur le pavé.

Il arriva embarrassé, avec ses dentelles, ses talons à torsades d'or et de rouge. Marin Marais fut maussade. Montrant le billet qu'il tenait encore à la main, il commença par dire qu'il n'irait point. Puis il demanda quel était l'âge de Madeleine. Elle était née l'année où le feu roi était mort. Elle avait trente-neuf ans alors et Toinette disait que sa sœur aînée ne supportait pas l'idée de passer la quarantaine dans l'état de fille. Son mari, Monsieur Pardoux le fils, estimait que Madeleine avait plutôt la tête tournée. Elle avait commencé par manger du pain de son puis s'était exemptée de toute viande. Maintenant la femme qui avait remplacé Guignotte la nourrissait à la cuiller. Monsieur de Sainte Colombe s'était mis dans la tête de lui faire donner des pêches en sirop pour l'assurer de vivre. C'était une lubie qu'il disait tenir de sa femme. Monsieur Marais avait porté la main à ses yeux quand Toinette avait prononcé le nom de Monsieur de Sainte Colombe. Madeleine rendait tout.

Comme les Messieurs affirmaient que la petite vérole recru-
tait à la sainteté et au cloître, Madeleine de Sainte Colombe
rétorqua que la sainteté, c'était le service de son père, le
cloître, c'était cette «vorne» sur la Bièvre et que cette
connaissance étant faite il lui paraissait inutile de la renouveler. Quant à être défigurée, elle dit qu'elle ne demandait
pas à en être plainte ; elle était déjà maigre comme les
chardons et plaisante comme eux : jadis un homme l'avait
même quittée parce que ses seins, quand elle eut maigri de
douleur, étaient devenus gros comme des noisettes. Elle ne
communiait plus, sans qu'il y eût forcément lieu de voir en
cela les influences de Monsieur de Bures ou de Monsieur
Lancelot. Mais elle demeurait pieuse. Durant des années,
elle était allée à la chapelle prier. Elle montait à la tribune,
regardait le chœur et les dalles qui entouraient l'autel, se
mettait à l'orgue. Elle disait qu'elle offrait cette musique à
Dieu.

   Monsieur Marais demanda comment se portait Monsieur
de Sainte Colombe. Toinette rétorqua qu'il allait bien mais
qu'il ne voulait pas jouer la pièce intitulée la Rêveuse. À six
mois de là, Madeleine sarclait encore au jardin et plantait
des semences de fleurs. Désormais elle était trop faible
pour joindre la chapelle. Quand elle pouvait marcher sans
tomber, le soir, elle entendait servir seule son père à table,
peut-être par esprit d'humilité, ou par déplaisir à l'idée de
manger, se tenant debout derrière sa chaise. Monsieur Pardoux prétendait qu'elle avait dit à sa femme que, la nuit, elle
se brûlait les bras nus avec la cire des chandelles. Madeleine
avait montré à Toinette ses plaies sur le haut de ses bras.
Elle ne dormait pas, mais en cela elle était comme son père.
Son père la regardait aller et venir sous la lune, près du
poulailler, ou bien tombée à genoux dans les herbes.

Chapitre XXIV

Toinette persuada Marin Marais. Elle l'amena après avoir prévenu son père, et sans que Monsieur de Sainte Colombe dût le voir. La chambre dans laquelle il entra sentait une odeur de soie moisie.

«Vous êtes plein de rubans magnifiques, Monsieur, et gras», dit Madeleine de Sainte Colombe.

Il ne dit rien sur-le-champ, il poussa un tabouret près du lit sur lequel il s'assit mais qu'il trouva trop bas. Il préféra rester debout dans une espèce de gêne qui était grande, le bras appuyé contre la colonnade du lit. Elle trouvait que ses hauts-de-chausse en satin bleu étaient trop serrés : quand il bougeait, ils moulaient ses fesses, marquaient les plis du ventre et le renflement du sexe. Elle disait :

«Je vous remercie d'être venu de Versailles. J'aimerais que vous jouiez cet air que vous aviez composé pour moi autrefois et qui a été imprimé.»

Il dit qu'il s'agissait sans doute de la Rêveuse. Elle le regarda droit dans les yeux et dit :

«Oui. Et vous savez pourquoi.»

Il se tut. Il inclina la tête en silence, puis se tourna brusquement vers Toinette en lui demandant d'aller chercher la viole de Madeleine.

«Vos joues sont creuses. Vos yeux sont creux. Vos mains

sont tellement maigries! dit-il avec un air plein d'épouvante quand Toinette fut partie.

— C'est une constatation qui est très délicate de votre part.

— Votre voix est plus basse que jadis.

— La vôtre est remontée.

— Est-il possible que vous n'ayez pas de chagrin? Vous avez tellement maigri.

— Je ne vois pas que j'aie eu de peine récente. »

Marin Marais ôta ses mains de la couverture. Il recula jusqu'à s'adosser contre le mur de la chambre, dans l'ombre que faisait l'encoignure de la fenêtre. Il parlait tout bas:

« Vous m'en voulez?

— Oui, Marin.

— Ce que j'ai fait jadis vous inspire encore de la haine contre moi?

— Il n'y en a pas que pour vous, Monsieur! J'ai nourri aussi des ressentiments contre moi. Je m'en veux de m'être laissée sécher tout d'abord par votre souvenir, ensuite par pure tristesse. Je ne suis plus que les os de Tithon! »

Marin Marais rit. Il s'approcha du lit. Il lui dit qu'il ne l'avait jamais trouvée très grosse et qu'il se souvenait, autrefois, que lorsqu'il portait les mains sur sa cuisse, ses doigts en faisaient le tour et se touchaient.

« Vous êtes plein d'esprit, dit-elle. Et dire que j'aurais aimé être votre épouse! »

Mademoiselle de Sainte Colombe ôta brusquement le drap de son lit. Monsieur Marais recula avec tant de précipitation qu'il détacha le rideau de lit qui se déplia. Elle avait relevé sa chemise pour descendre, il lui voyait les cuisses et le sexe tout nus. Elle posa les pieds nus sur le carrelage en poussant un petit cri, tendit l'étoffe de sa chemise de dessous, la lui montra, la lui mit entre les doigts, lui disant:

« L'amour que tu me portais n'était pas plus gros que cet ourlet de ma chemise.

— Tu mens. »

Ils se turent. Elle posa sa main décharnée sur le poignet plein de rubans de Marin Marais et lui dit :

« Joue, s'il te plaît. »

Elle cherchait à grimper de nouveau dans son lit mais il était trop haut. Il l'aida, poussant ses fesses maigres. Elle était aussi légère qu'un coussin. Il prit la viole des mains de Toinette qui était de retour. Toinette chercha l'embrasse, remit le rideau de lit et les laissa. Il commença d'interpréter la Rêveuse et elle l'interrompit en lui enjoignant d'être plus lent. Il reprit. Elle le regardait jouer avec des yeux qui brûlaient de fièvre. Elle ne les fermait pas. Elle détaillait son corps en train de jouer.

Chapitre XXV

Elle soufflait. Elle approcha ses yeux du carreau de la fenêtre. Au travers des bulles d'air qui y étaient prises, elle vit Marin Marais qui aidait sa sœur à monter dans le carrosse. Lui-même posa son talon à torsades d'or et de rouge sur le marchepied, s'engouffra, ferma la porte dorée. La nuit venait. Pieds nus, elle chercha un chandelier puis elle fouilla dans sa garde-robe, se mit à quatre pattes, ramena un vieux soulier jaune plus ou moins brûlé ou du moins racorni. En prenant appui sur la cloison et s'aidant de l'étoffe de ses robes, elle se remit debout et revint vers le lit avec la chandelle et le soulier. Elle les posa sur la table qui était à son chevet. Elle soufflait comme si les trois quarts du souffle dont elle disposait étaient taris. Elle marmonnait aussi :

« Il ne désirait pas être cordonnier. »

Elle répétait cette phrase. Elle reposa ses reins contre le matelas et le bois de son lit. Elle ôta un grand lacet des œillets du soulier jaune qu'elle reposa près de la chandelle. Minutieusement, elle fit un nœud qui coulissait. Elle se redressa et rapprocha le tabouret que Marin Marais avait pris et sur lequel il s'était assis. Elle le tira sous la poutre la plus proche de la fenêtre, grimpa à l'aide du rideau de son lit sur le tabouret, parvint à fixer par cinq ou six tours le lacet à une grosse pointe qui se trouvait là et introduisit sa tête dans le nœud et le serra. Elle eut du mal à faire tomber le tabouret. Elle piétina et dansa longtemps avant qu'il tombe. Quand ses pieds rencontrèrent le vide, elle poussa un cri ; une brusque secousse prit ses genoux.

Chapitre XXVI

Tous les matins du monde sont sans retour. Les années étaient passées. Monsieur de Sainte Colombe, à son lever, caressait de la main la toile de Monsieur Baugin et passait sa chemise. Il allait épousseter sa cabane. C'était un vieil homme. Il entretenait aussi des fleurs et des arbustes qu'avait plantés sa fille aînée, avant qu'elle se pendît. Puis il allait allumer le feu et faire chauffer le lait. Il sortait une assiette creuse en grosse faïence où il écrasait sa bouillie.

Monsieur Marais n'avait pas revu Monsieur de Sainte Colombe depuis le jour où il avait été surpris par ce dernier en train d'éternuer sous sa cabane, trempé jusqu'aux os. Monsieur Marais avait conservé le souvenir que Monsieur de Sainte Colombe connaissait des airs qu'il ignorait alors qu'ils passaient pour les plus beaux du monde. Parfois il se réveillait la nuit, se remémorant les noms que Madeleine lui avait chuchotés sous le sceau du secret: les Pleurs, les Enfers, l'Ombre d'Énée, la Barque de Charon, et il regrettait de vivre sans les avoir entendus ne serait-ce qu'une fois. Jamais Monsieur de Sainte Colombe ne publierait ce qu'il avait composé ni ce que ses propres maîtres lui avaient appris. Monsieur Marais souffrait en songeant que ces œuvres allaient se perdre à jamais quand Monsieur de Sainte Colombe mourrait. Il ne savait pas quelle serait sa vie ni quelle serait l'époque future. Il voulait les connaître avant qu'il fût trop tard.

Il quittait Versailles. Qu'il plût, qu'il neigeât, il se rendait nuitamment à la Bièvre. Comme il faisait jadis, il attachait son cheval au lavoir, sur la route de Jouy, pour qu'on ne l'entendît pas hennir, puis suivait le chemin humide, contournait le mur sur la rive, se glissait sous la cabane humide.

Monsieur de Sainte Colombe ne jouait pas ces airs ou du moins il n'interprétait jamais d'airs que Monsieur Marais ne les connût. À vrai dire Monsieur de Sainte Colombe jouait plus rarement. C'étaient souvent de longs silences au cours desquels il lui arrivait parfois de se parler à lui-même. Durant trois ans, presque chaque nuit, Monsieur Marais se rendait à la cabane en se disant : « Ces airs, va-t-il les jouer ce soir ? Est-ce la nuit qui convient ? »

Chapitre XXVII

Enfin, l'an 1689, la nuit du 23ᵉ jour, alors que le froid était vif, la terre prise de grésil, le vent piquant les yeux et les oreilles, Monsieur Marais galopa jusqu'au lavoir. La lune brillait. Il n'y avait aucun nuage. «Oh! se dit Monsieur Marais, cette nuit est pure, l'air cru, le ciel plus froid et plus éternel, la lune ronde. J'entends claquer les sabots de mon cheval sur la terre. C'est peut-être ce soir.»

Il s'installa dans le froid serrant sur lui sa cape noire. Le froid était si vif qu'il avait glissé dessous une peau de mouton retournée. Cependant il avait froid aux fesses. Son sexe était tout petit et gelé.

Il écouta à la dérobée. L'oreille lui faisait mal, posée sur la planche glacée. Sainte Colombe s'amusait à faire sonner à vide les cordes de sa viole. Il fit quelques traits mélancoliques à l'archet. Par moments, comme il lui arrivait si souvent de faire, il parla. Il ne faisait rien de suite. Son jeu paraissait négligent, sénile, désolé. Monsieur Marais approcha son oreille d'un interstice entre les lattes de bois pour comprendre le sens des mots que ruminait par instants Monsieur de Sainte Colombe. Il ne comprit pas. Il perçut seulement des mots dépourvus de sens comme «pêches écrasées» ou «embarcation». Monsieur de Sainte Colombe joua la Chaconne Dubois, qu'il donnait en concert naguère

avec ses filles. Monsieur Marais reconnut le thème principal.
La pièce s'acheva, majestueuse. Il entendit alors un soupir
puis Monsieur de Sainte Colombe qui prononçait tout bas
ces plaintes :

« Ah ! Je ne m'adresse qu'à des ombres qui sont devenues
trop âgées ! Qui ne se déplacent plus ! Ah ! si en dehors de
moi il y avait au monde quelqu'un de vivant qui appréciât la
musique ! Nous parlerions ! Je la lui confierais et je pourrais
mourir. »

Alors Monsieur Marais, frissonnant dans le froid, dehors,
poussa lui-même un soupir. En soupirant de nouveau, il
gratta la porte de la cabane.

« Qui est là qui soupire dans le silence de la nuit ?

— Un homme qui fuit les palais et qui recherche la
musique. »

Monsieur de Sainte Colombe comprit de qui il s'agissait
et il se réjouit. Il se pencha en avant et entrouvrit la porte
en la poussant avec son archet. Un peu de lumière passa
mais plus faible que celle qui tombait de la lune pleine. Marin
Marais se tenait accroupi dans l'ouverture. Monsieur de
Sainte Colombe se pencha en avant et dit à ce visage :

« Que recherchez-vous, Monsieur, dans la musique ?

— Je cherche les regrets et les pleurs. »

Alors il poussa tout à fait la porte de la cabane, se leva en
tremblant. Il salua cérémonieusement Monsieur Marais qui
entra. Ils commencèrent par se taire. Monsieur de Sainte
Colombe s'assit sur son tabouret et dit à Monsieur Marais :

« Asseyez-vous ! »

Monsieur Marais, toujours enveloppé de sa peau de
mouton, s'assit. Ils restaient les bras ballants dans la gêne.

« Monsieur, puis-je vous demander une dernière leçon ?
demanda Monsieur Marais en s'animant tout à coup.

— Monsieur, puis-je tenter une première leçon ? » rétorqua Monsieur de Sainte Colombe avec une voix sourde.

Monsieur Marais inclina la tête. Monsieur de Sainte Colombe toussa et dit qu'il désirait parler. Il parlait à la saccade.

« Cela est difficile, Monsieur. La musique est simplement là pour parler de ce dont la parole ne peut parler. En ce sens elle n'est pas tout à fait humaine. Alors vous avez découvert qu'elle n'est pas pour le roi ?

— J'ai découvert qu'elle était pour Dieu.

— Et vous vous êtes trompé, car Dieu parle.

— Pour l'oreille ?

— Ce dont je ne peux parler n'est pas pour l'oreille, Monsieur.

— Pour l'or ?

— Non, l'or n'est rien d'audible.

— La gloire ?

— Non. Ce ne sont que des noms qui se renomment.

— Le silence ?

— Il n'est que le contraire du langage.

— Les musiciens rivaux ?

— Non !

— L'amour ?

— Non.

— Le regret de l'amour ?

— Non.

— L'abandon ?

— Non et non.

— Est-ce pour une gaufrette donnée à l'invisible ?

— Non plus. Qu'est-ce qu'une gaufrette ? Cela se voit. Cela a du goût. Cela se mange. Cela n'est rien.

— Je ne sais plus, Monsieur. Je crois qu'il faut laisser un verre aux morts…

— Aussi brûlez-vous.

— Un petit abreuvoir pour ceux que le langage a désertés. Pour l'ombre des enfants. Pour les coups de marteaux des cordonniers. Pour les états qui précèdent l'enfance. Quand on était sans souffle. Quand on était sans lumière. »

Sur le visage si vieux et si rigide du musicien, au bout de quelques instants, apparut un sourire. Il prit la main grasse de Marin Marais dans sa main décharnée.

«Monsieur, tout à l'heure vous avez entendu que je soupirais. Je vais mourir sous peu et mon art avec moi. Seules mes poules et mes oies me regretteront. Je vais vous confier un ou deux arias capables de réveiller les morts. Allons ! »

Il chercha à se lever mais s'interrompit dans son mouvement.

«Il faut tout d'abord que nous allions chercher la viole de feu ma fille Madeleine. Je vais vous faire entendre les Pleurs et la Barque de Charon. Je vais vous faire entendre l'entièreté du Tombeau des Regrets. Je n'ai encore trouvé, parmi mes élèves, aucune oreille pour les entendre. Vous m'accompagnerez. »

Marin Marais le prit par le bras. Ils descendirent les marches de la cabane et ils se dirigèrent vers la maison. Monsieur de Sainte Colombe confia à Monsieur Marais la viole de Madeleine. Elle était couverte de poussière. Ils l'essuyèrent avec leurs manches. Puis Monsieur de Sainte Colombe remplit une assiette en étain avec quelques gaufrettes enroulées. Ils revinrent tous deux à la cabane avec la fiasque, la viole, les verres et l'assiette. Tandis que Monsieur Marais ôtait sa cape noire et sa peau retournée et les jetait par terre, Monsieur de Sainte Colombe fit de la place et mit au centre de la cabane, près de la lucarne par où on voyait la lune blanche, la table à écrire. Il essuya avec son doigt humide de salive, après qu'il l'eut passé sur ses lèvres, deux gouttes de vin rouge qui étaient tombées de la carafe enveloppée de paille, à côté de l'assiette. Monsieur de Sainte Colombe entrouvrit le cahier de musique en maroquin tandis que Monsieur Marais versait un peu de vin cuit et rouge dans son verre. Monsieur Marais approcha la chandelle du livre de musique. Ils regardèrent, refermèrent le livre, s'assirent, s'accordèrent. Monsieur de Sainte Colombe compta la mesure vide et ils posèrent leurs doigts. C'est ainsi qu'ils jouèrent les Pleurs. À l'instant où le chant des deux violes monte, ils se regardèrent. Ils pleuraient. La lumière qui pénétrait dans la cabane par la lucarne qui y était percée était devenue jaune. Tandis que leurs larmes lentement coulaient sur leur nez, sur leurs joues, sur leurs lèvres, ils s'adressèrent en même temps un sourire. Ce n'est qu'à l'aube que Monsieur Marais s'en retourna à Versailles.

Du tableau

au texte

Agnès Verlet

Du tableau au texte

Nature morte
avec instruments de musique
d'Evaristo Baschenis

… la représentation presque exclusive des instruments de musique…

« Écoutez le son que rend le pinceau de Monsieur Baugin […]. Vous avez appris la technique de l'archet. » Telle est la « leçon de musique » que Monsieur de Sainte Colombe donne à Marin Marais, lors d'une visite au peintre Lubin Baugin. Si l'art du peintre peut enseigner quelque chose au musicien, l'inverse est également vrai, et la musique est très présente dans la peinture depuis le XVe siècle, sous des formes variées, comme ici, dans une œuvre représentant des instruments de musique. Le plus souvent, les instruments sont joués par des musiciens et intégrés à des scènes de la vie sociale, comme dans *La Fête champêtre* de Giorgione (1510), ou à des scènes familiales, fréquentes dans la peinture hollandaise, ou encore des allégories : la musique y représente alors l'harmonie du monde. Ce qui est plus rare, c'est que les instruments soient l'unique sujet d'un tableau, comme dans cette nature morte d'Evaristo Baschenis où, dans l'embrasure d'un rideau rouge, des luths et un violon sont disposés sur une table, autour d'une épinette ouverte. Ce qui est encore plus exceptionnel, c'est qu'un artiste, comme ce peintre originaire de Bergame, consacre son art et sa vie à la représentation presque exclusive des instruments de musique. Certes, sa ville natale est proche de Crémone, renommée pour la facture des instruments à cordes et sa tradition de lutherie. Certes, ses natures mortes répondent à des commandes venant d'une aristocratie bergamasque raffinée qui possédait les instruments fabriqués dans la région, mais savait également en jouer, la musique faisant partie de l'*otium* de cette société éprise d'art. Certes, l'artiste, issu d'une vieille famille de peintres, est influencé par l'art du Caravage, qui a exécuté un célèbre *Amour vainqueur* (1596-1598), un Cupidon avec ses flèches, souriant de plaisir, au pied duquel sont posés un luth, un violon et son archet, une partition.

Mais, contrairement à la plupart des œuvres qui ont une portée allégorique ou une visée édifiante, Baschenis semble animé du seul désir de donner à voir la beauté des instruments et de leur facture, de faire chanter les couleurs chaudes du bois, les ors et les bruns lumineux des luths, des mandolines, des violons, des violoncelles ou des violes. Il multiplie les compositions avec ces instruments, qu'il dispose dans l'espace, le plus souvent sur une table, surmontée d'un rideau, avec une épinette, comme ici, une écritoire ou un coffre. Ses tableaux sont autant de variations qui modifient les points de vue, l'éclairage, la composition, les gammes chromatiques, jouant sur les symétries ou les dissymétries, les effets de rupture, de contraste, de complémentarité.

… le caractère spectaculaire que le peintre confère à cet assemblage d'objets…

Dans notre tableau où le rideau rouge insiste sur le caractère spectaculaire que le peintre confère à cet assemblage d'objets, la composition est frontale, la table étant placée face au spectateur, qui est situé légèrement en retrait sur la droite. L'instrument à clavier, sur la table, au premier plan, est donc une épinette : instrument aisément transportable grâce à sa petite taille (il ne fait que trois octaves), il est présenté ici ouvert, sans couvercle ; les autres instruments, un violon et trois instruments de la famille des luths, sont également posés négligemment, comme s'ils venaient d'être joués, après un concert ou une répétition. Les deux instruments de droite, en conque, deux mandolines, peut-être, sont couchés sur les cordes, offrant au regard leur caisse de résonance au bois nervuré, tandis que le troisième sur la gauche est un luth, vu de face, avec son chevalet et ses cordes ; sa rosace est cachée par le violon et une partition, tandis que son manche recourbé vient toucher le manche plus long de la première mandoline, au dos de laquelle est accroché un ruban de satin, destiné à la porter en bandoulière pour en jouer debout. L'épinette est un peu en déséquilibre sur la table, surtout à droite, bien que sa forme trapézoïdale serve de base à la composition pyramidale asymétrique de l'ensemble, comme souvent chez Baschenis. Le violon, adossé à l'épinette et retenu par le luth, donne à la composition son mouvement puisque son manche suit une direction ascendante qui conduit le regard vers le livre et vers la panse de la seconde mandoline, tous deux posés sur un coffre de bois noir. Cette ligne, qui part de la flûte à bec, placée en déséquilibre à l'extrême gauche de la table, fait une diagonale qui traverse le tableau, parallèlement à l'oblique du rideau. Inversement, une diagonale descendante commence presque au centre de la toile, à l'extrême bord du rideau, en haut à droite, et se prolonge le long des deux instruments retournés, pour rejoindre le côté droit de l'épinette.

Les instruments sont donc disposés dans un désordre étudié, en vue d'une composition picturale qui se trouve animée par un fort contraste de luminosité. Les divers bois de leur corps subissent toutes les variations de lumière et se détachent fortement sur le fond, d'un brun-vert rougeâtre assez opaque, bien qu'il soit rehaussé et encadré par le rouge vif du rideau et du tapis, également rouge, à motifs verts et bruns. Admirateur du Caravage, Baschenis emprunte à ce maître la technique du clair-obscur pour jouer sur les effets d'ombre et de lumière. Les bois clairs des instruments offrent au peintre une palette à partir de laquelle toutes les variations sont possibles, d'autant plus que les jeux de la lumière sont intensifiés par les vernis et les laqués qui frappent de taches lumineuses la panse des deux mandolines et le manche du violon.

... le désordre apparent de l'ensemble est un chaos organisé...

L'unité chromatique, pourtant, est brisée par les blancs qui redessinent l'espace : les touches blanches du clavier et trois feuillets de partitions. Au bord de la table, à gauche, un petit grimoire plié sur le point de tomber ; étalé sur le luth, une partition de tablature, ouverte, et sur le coffre noir, une autre partition, écornée, ainsi qu'un morceau de papier chiffonné qui sert de marque-page à un gros livre recouvert de cuir fauve. À ces taches blanches qui dessinent un angle ouvert, s'opposent chromatiquement les noirs d'ébène des deux manches du luth et de la mandoline, (ainsi que les touches noires de l'épinette), et le noir massif du coffre. Souvent, dans ses compositions où il mêle les livres aux instruments de musique, Baschenis dispose les objets autour d'une écritoire en ébène, plus ou moins ouvragée et incrustée d'ivoire, garnie de tiroirs entrouverts d'où dépassent des feuillets et une plume. Le volume noir de notre tableau, qui est assez grossier et semble pouvoir s'ouvrir en deux, est plus probablement une boîte à instruments de musique. Sa masse sombre, soulignée par de fins liserés dorés, inscrit dans la composition des lignes verticales qui se croisent avec les horizontales, les diagonales de l'épinette et des manches des luths. Cette verticalité rythme et structure le désordre apparent de l'ensemble qui est un chaos organisé, où les lignes droites (horizontales, verticales et diagonales) font un contrepoint aux formes ovoïdes des trois luths, ainsi qu'aux arabesques du violon et aux volutes de sa tête.

Dans un tel tableau, on voit à quel point l'art du luthier intéresse le peintre pour lui-même : l'artiste s'attache à montrer la variété et le raffinement du travail de marqueterie qui ornent la caisse de résonance du luth et de ses dérivés ; ainsi les fines lamelles qui constituent les côtes du luth de gauche, ou celles, plus larges, de l'instrument posé sur le coffre noir, au dos duquel alternent les nuances d'un acajou brun foncé et d'un bois clair, l'épicéa, soulignées par de fins reliefs dorés ; sur la mandoline du premier plan, les côtes de la panse sont plus fines, leur dessin laissant apparaître les découpes du bois en rayures, de subtiles nervures d'ocre et d'or, tandis qu'en plan rapproché on constate une certaine âpreté de la découpe, dans la bande de bois qui ceint le corps de l'instrument. Le dos du violon, qui a la blondeur de l'érable sycomore, est dans l'ombre, mais la lumière porte sur son manche et sur les éclisses du côté, dont on distingue le détail. Quant au bois plus grossier de l'épinette en sapin veiné, il est assez finement travaillé à la base par la bordure nervurée qui la souligne.

... certains détails, à peine perceptibles, prennent une valeur symbolique...

Encadrant le tout, le rideau rouge et le tapis de table, rouge et vert, ferment l'espace et donnent un grand éclat à la toile, dans le style de la peinture vénitienne. La scénographie est mise en évidence par le lourd rideau rouge, bordé d'une passementerie à franges rouges et dorées, et retenu par une embrasse nouée. Outre les effets d'ombre et de lumière produits par les plis du tissu suspendu au-dessus de la table, le rideau rouge a pour fonction de situer la scène dans le monde du théâtre : les instruments sont donnés à voir, par le peintre, avec une certaine théâtralité. Mais ce côté spectaculaire confère à la nature morte une portée allégorique en la plaçant dans un univers baroque concevant la vie humaine comme un spectacle qui se jouerait sur le théâtre du monde (*theatrum mundi*), où ce que nous appelons la vie serait une illusion des sens et n'aurait pas plus de réalité qu'un rêve. Souvent chez Baschenis, comme chez d'autres peintres de natures mortes, certains détails, à peine perceptibles, prennent une valeur symbolique et font entendre que les plaisirs des sens sont éphémères, que la vie humaine est caduque, que les frontières entre les vivants et les morts sont fragiles : des pommes, posées près des instruments de musique, un verre à moitié vide, une mappemonde, une chandelle suffisent à signifier la vanité de la vie, de même la friabilité de la gaufrette et le verre de vin à moitié plein sur la toile que Lubin Baugin exécute pour Monsieur de Sainte Colombe. Dans notre tableau, ce qui signifie la fragilité de la vie, c'est le déséquilibre de l'ensemble, puisque chaque instrument est dans une position instable, comme le sont les partitions chiffonnées et le livre écorné, lui-même symbole de la vanité du savoir. Au centre de la composition, bien qu'à peine visible, la corde du violon, cassée comme serait cassé le fil de la vie, est un signe évident, qui change la nature morte en peinture de vanité. Plus subtilement, la légère pellicule de poussière qui recouvre la panse de la mandoline au ruban rose ne sert pas seulement à accrocher la lumière ; elle signifie le temps qui passe et l'idée que l'être humain retournera en poussière (*in pulverem reverteris*). Dans ses œuvres les plus sobres, comme une célèbre nature morte aux instruments de musique conservée à Bergame, aux nuances tellement subtiles dans les tonalités d'ors et de verts, dans d'autres compositions également, souvent asymétriques, Baschenis, comme Lubin Baugin, son exact contemporain, peint des natures mortes qu'il charge de signes allégoriques discrets : ni tête de mort, ni sablier, mais du gibier, des fruits, des poissons, des victuailles vouées à la putréfaction, des instruments couchés ou poussiéreux, comme abandonnés. Et si le peintre choisit de représenter ces objets de la vie quotidienne, c'est qu'il les prend en considération et leur attribue une beauté plastique et une valeur esthétique. Loin de les considérer comme morts au point de constituer ce qu'on appelle improprement une « nature morte », il leur reconnaît une vie tranquille, une « vie coye » ou « vie silencieuse », terme utilisé pour désigner de telles œuvres dans les écoles du Nord. Il les ranime par son art, de même que Sainte Colombe joue des arias « capables de réveiller les morts ».

… Evaristo Baschenis, cet artiste bergamasque issu d'une lignée de peintres…

Par la représentation des instruments de musique, Evaristo Baschenis fait aussi l'éloge de la musique, tout en signifiant que même le plaisir qu'elle procure est précaire (tel, on l'a vu, est le sens de la corde cassée du violon). Contrairement à la tendance la plus austère d'une certaine peinture de vanité, la nature morte de Baschenis exalte la beauté des instruments de musique, la richesse picturale qui peut en émaner et, par là même, la beauté de la musique — et de la peinture — que le peintre est loin de condamner. Les rares portraits qu'il exécuta représentent des musiciens, tel l'organiste Francesco Bazzini, qui pourrait figurer Monsieur de Sainte Colombe, avec sa maigreur et son visage émacié, son costume noir à peine éclairé par une fraise, qu'il peint assis dans une haute chaise à bras dans une posture empreinte de raideur et d'austérité. Un triptyque plus allègre, qui fut commandé au peintre par une riche famille aristocratique de Bergame, les Agliardi, montre

l'intérêt que certains nobles portaient à l'art, et la
volonté qu'ils avaient de transmettre, grâce à la peinture,
une image de cette passion qui révélait leur goût, leur
talent — et leur fortune. On y voit tour à tour le père,
les deux frères Alessandro et Bonifacio et, sur le troisième
tableau, Baschenis lui-même, assis devant une épinette,
accompagnant le troisième frère, Ottavio Agliardi, en
train de jouer du luth; sur la table recouverte d'un
tapis, une viole, une mandore et une cithare montrent,
avec ostentation, la richesse de la collection Agliardi,
autant que la diversité de leurs pratiques artistiques et
la familiarité qu'ils entretenaient avec le peintre.

Bien qu'on sache peu de choses de la vie de cet artiste
bergamasque issu d'une lignée de peintres (même sa
date de naissance est imprécise, 1607 ou 1617), il fut
formé à la prêtrise et, tout en étant peintre et musicien,
il exerça des fonctions ecclésiastiques. Par son œuvre
centrée sur la représentation de la musique, il s'inscrit
dans la réaction artistique des milieux de la Contre-
Réforme, particulièrement forte en Italie et en Espagne,
qui revendiquaient la nécessité de la peinture et de la
musique dans les églises, fût-ce à des fins édifiantes.
Cette revendication baroque s'opposait à l'austérité de
l'Europe du Nord (Flandres et Pays-Bas), plus marquée
par la Réforme (et le calvinisme) qui chassait la musique
des lieux de culte. Ce débat idéologique et esthétique
est présent dans le roman de Pascal Quignard. Bien
qu'il dise ne pas apprécier Philippe de Champaigne,
Monsieur de Sainte Colombe, qui fut sensible au jansénisme des « Messieurs de Port-Royal », s'éloigne du
monde, dans une retraite proche du silence. Lorsque le
musicien lui rend visite, Lubin Baugin est en train de
peindre la célèbre *Nature morte aux cinq sens* où il représente, sur une table de bois nu, un luth couché, un

verre de vin rouge et une miche de pain, une partition musicale, un jeu d'échecs et des cartes, une bourse de velours, un miroir et trois œillets dans un vase en forme de bulle. Images d'un renoncement à des satisfactions éphémères, renoncement qui hante les rêves du musicien solitaire : « "Tout ce que la mort ôtera est dans sa nuit", souffla Sainte Colombe dans l'oreille de son élève. "Ce sont tous les plaisirs du monde qui se retirent en nous disant adieu." »

… imperceptibles les limites entre le rêve et la réalité…

Mais, alors même qu'il exprime discrètement la signification allégorique de sa peinture, Evaristo Baschenis exalte les deux arts qu'il pratique, la musique et la peinture. Il a d'ailleurs fait école et contribué à créer, avec son compatriote Bartolomeo Bettera, un style bergamasque, la *maniera bergamasca*, influencé par le Caravage, mais dans un jeu de clair-obscur délicat, dont les nuances ne durcissent pas les formes. Dans notre tableau pourtant, les couleurs contrastées, la vivacité du rouge, les lignes marquées, la profondeur des reliefs dénotent un goût baroque qui caractérise le style de Baschenis à la fin de sa carrière. En fait, le peintre, qui a eu des élèves, a fait école, et son art s'est répandu au-delà de Bergame, à Milan, à Venise. Cette nature morte aux instruments de musique fait partie de ces œuvres d'atelier qui, sans être nécessairement des copies, reprennent et accentuent les traits stylistiques d'un maître et laissent parfois échapper des défauts (ainsi, une certaine négligence dans le dessin et la matière pâteuse du rideau, ou dans le tracé du manche du

violon, qui n'est pas tout à fait dans l'axe de son corps).
Le goût baroque apparaît surtout dans des effets de
trompe-l'œil, sensibles au premier plan : le canevas et
les motifs du tapis, le dessin du ruban rose noué, accroché à la mandoline. La vision frontale, accentuée par le
rideau, l'impression de vide produite par un fond très
uniforme donnent un relief extrême aux volumes des
objets dont les contours sont excessivement marqués.
Cette technique du trompe-l'œil accentue évidem-
ment l'impression d'illusion qui rend imperceptibles
les limites entre le rêve et la réalité.

Limites dont se joue le romancier, en faisant de
Lubin Baugin et de Marin Marais des personnages de
fiction.

Le texte

en perspective

Jean-Luc Vincent

Mouvement littéraire

« Nous ne sommes pas
postmodernes »

DANS SON LIVRE D'ENTRETIENS avec Pascal
Quignard (*Pascal Quignard, le solitaire*, Galilée, 2006),
Chantal Lapeyre-Desmaison demande à l'auteur de *Tous
les matins du monde* si l'on peut le considérer comme
« l'éclaireur d'un courant postmoderne » français qui
regrouperait également d'autres écrivains contemporains comme Pierre Michon ou Gérard Macé. Sa
réponse est la suivante : « Nous ne sommes pas postmodernes. Nous sommes préoriginaires. Je pense même
que nous sommes antéarchaïques… » Réponse énigmatique, qui met bien en évidence la singularité du projet
quignardien.

Il existe une réelle difficulté à vouloir classer une
écriture contemporaine dans un mouvement littéraire
précis. Non seulement les « écoles » n'existent plus,
mais, en outre, nous manquons de recul pour pouvoir
clairement identifier et caractériser ne serait-ce que des
« familles » d'écritures. Il reste que l'œuvre de Pascal
Quignard est caractéristique d'un renouveau de l'écriture en France telle qu'elle apparaît au début des
années 1980 : une écriture qui, tout en étant pleinement
consciente de son histoire récente, opère un retour au

récit et réactive le passé pour interroger la langue, la mémoire et l'histoire.

1.

L'héritage de la modernité

C'est une question complexe que celle du postmodernisme, surtout en littérature. Généralement, la notion permet de caractériser les œuvres artistiques qui brouillent le sens et jouent ironiquement avec le collage systématique des formes existantes (anciennes et modernes). Or, il est vrai que Pascal Quignard va puiser dans le passé une grande partie de la matière de son écriture qui s'essaie à plusieurs genres (le roman, le récit, le traité) en échappant à nos catégories génériques habituelles. Son œuvre est l'héritière du soupçon qui pèse sur le sens et l'écriture elle-même, en particulier depuis la seconde moitié du XXe siècle.

1. *Une écriture héritière de l'ère du soupçon*

Dans les années 1950 et jusqu'à la fin des années 1970, la littérature a remis en question les notions de sujet et de représentation. Le traumatisme de la Seconde Guerre mondiale interroge profondément l'idée de représentable et de sens. La problématique esthétique de la représentation «ne peut désormais se poser que sur fond de désarroi et de perte, de critique et de mise en doute, au mieux de passage et de seuil. Ce qui est en jeu, c'est l'effondrement de l'image du monde. Tant dans ses pouvoirs d'imitation et dans sa dimension réflexive que dans ses pouvoirs d'exposition» (Catherine Naugrette, *Paysages dévastés. Le théâtre et le sens de l'humain*, Circé, 2004). Pascal Quignard, qui vécut les premières années de sa vie dans les décombres d'une ville dévastée, Le Havre, commença une thèse de philosophie, très vite abandonnée, avec Emmanuel Levinas, philosophe dont la pensée fut particulièrement influencée par les conséquences du second conflit mondial et de la Shoah. Ses années de formation sont donc marquées par ces questionnements.

Pour la littérature d'avant-garde, il semblait illusoire de vouloir exprimer le sujet ou représenter le réel comme on avait pu le faire jusqu'alors. L'écriture narrative et romanesque connaît un profond renouvellement sous la bannière de ce qu'on a appelé le Nouveau Roman : «L'engagement, c'est pour l'écrivain la pleine conscience des problèmes actuels de son propre langage, la conviction de leur extrême importance, la volonté de les résoudre de l'intérieur» (Alain Robbe-Grillet, *Pour un nouveau roman*, Minuit, 1963). Cette nouvelle écriture remet en question les notions de personnages et d'intrigue pour proposer des récits débarrassés des supports traditionnels de l'histoire et tenter ainsi de saisir au plus près la complexité d'un réel, considéré comme nécessairement insaisissable. Nathalie Sarraute parle ainsi d'une «ère du soupçon» à l'égard des formes littéraires traditionnelles dans son essai du même nom publié en 1956. Selon elle, par une évolution analogue à celle de la peinture, l'écriture doit se libérer de la psychologie, elle doit abstraire les éléments qu'elle entend représenter, les séparer des objets avec lesquels ils font traditionnellement corps.

Certes, l'écriture de Pascal Quignard semble éloignée des enjeux formels de cette modernité, qui se définit en rupture par rapport aux modèles dont elle hérite, alors que les références de l'auteur de *Tous les matins du monde* sont le plus souvent classiques (antiquités grecque et latine, XVIIᵉ siècle français), et que son œuvre opère un retour, non seulement au récit et à la forme romanesque, mais aussi à la parole personnelle. Cependant, cet apparent retour à une certaine tradition est nourri de cette modernité et de ce qu'elle a pu mettre en évidence : l'écriture est comme trouée, marquée par le doute, vouée à la recherche d'une forme ou d'une représentation qui se sait impossible.

2.   « *Notre héritage est livré sans testament* »

Cette phrase de René Char pourrait être le constat à partir duquel se développe le projet de Pascal Quignard et de certains de ses contemporains. En effet, son écriture est marquée par la conscience d'un héritage qu'il ne s'agit ni d'imiter (esthétique classique), ni de rejeter (posture moderne), ni de déconstruire et de reprendre ironiquement (attitude postmoderne), mais avec lequel elle entre en dialogue. La littérature devient une interrogation sur ce qui nous constitue, sur ce que le passé révèle de notre présent et de ses énigmes.

Ce regard contemporain posé sur le passé est particulièrement influencé par le renouveau des études historiques et par le développement de l'anthropologie et de la linguistique. Par ailleurs, la mise en place de la méthode structuraliste, qui participe pleinement au renouveau de ces sciences humaines, a permis de poser un regard neuf sur le passé (Jean-Pierre Vernant), sur l'ailleurs (Claude Levi-Strauss), sur les traditions anciennes comme sur les mythologies contemporaines. Paradoxalement, tout ce travail a permis de mettre en évidence la spécificité propre de la pensée d'une

époque et d'une civilisation, sa nécessaire «étrangeté».
On a ainsi dépassé une tradition humaniste qui assi-
milait les cultures et les savoirs différents au sein d'une
même communauté, celle de l'«humanité». La culture
n'est plus le véhicule d'une humanité qui serait la
même partout, mais elle nous place face à des mystères
et à des nouveautés qui stimulent la spéculation et la
perception que nous avons de notre monde et de notre
époque.

L'écriture du *Salon du Wurtemberg*, puis de *La leçon
de musique*, puis de *Tous les matins du monde*, est ainsi
directement liée aux recherches musicologiques qui
émergent dans les années 1970. La mise au jour du
répertoire de musique baroque, qui commence à être
connu au cours des années 1980 pour rencontrer un
véritable succès dans la décennie suivante, s'inscrit dans
un travail historique quasi archéologique : on ne se
contente pas de ressortir des partitions, on redécouvre
également les instruments spécifiques avec lesquels
elles étaient interprétées, on lit les traités musicaux de
l'époque pour comprendre les modes de composition
d'une musique que l'on réinscrit dans son temps pour
mieux l'entendre aujourd'hui.

3. *Lecture et écriture : se retirer du monde et s'y inscrire*

La littérature est réinvestie comme le lieu de l'imagi-
nation nourrie par les lectures, qui servent de moteur
à la réflexion et au rêve. Pascal Quignard l'affirme
avec force dans ses entretiens avec Chantal Lapeyre-
Desmaison : «Je ne puis penser qu'en écrivant. Or
j'écris en lisant. [...] J'avance en lisant. Mais puis-je dire
que j'avance ? Oui, je crois que j'avance. Je revis ce que

je vis en lisant. » Ses premiers ouvrages, de 1968 à la fin des années 1970, sont des ouvrages critiques, des «lectures» d'œuvres : un essai sur Maurice Scève, poète du XVIᵉ siècle, auteur de *La Délie* ; des textes critiques pour la revue *L'Éphémère* (repris récemment dans *Écrits de l'éphémère*, Galilée, 2005) ; une étude sur le poète de langue grecque Lycophron (qu'il traduit également) ; un essai sur le poète Michel Deguy. Son premier récit, publié en 1976, s'intitule *Le lecteur* (Gallimard). Dans ce texte énigmatique, abstrait et poétique, l'auteur tente de dessiner le phénomène de «disparition» qui affecte ce lecteur dont il nous parle :

> Pas plus que nous n'avions l'assurance qu'il vivait je pense que nous ne nous accorderons sur le fait de sa mort. Il écrivit peu. Il lut beaucoup. Mille vies mortes, qui étaient soit anciennes soit fictives, s'étaient très tôt substituées à sa vie. Comme tout être qui lit il possédait la riche pierre qui rappelle au jour l'ombre des morts encore que nul, pourtant, n'ait l'assurance que par un coup contraire elle ne plonge qui la possède dans leur monde impossible. Pourquoi, dans ce cas, n'aurait-il disparu là où ces vies passées sont disparues ? Il fut tout ce qu'il lut. En 1492, en 1519, en 1531, criant : «Terre !» aux rivages d'Amérique, du Mexique, du Pérou, c'était lui.

La lecture induit un rapport singulier au temps, à l'histoire et à la mémoire. Elle nous rend «contemporain» d'autres époques, d'autres esthétiques, d'autres existences. On pourra lire aussi «Le mot contemporain», le quarante-neuvième des *Petits traités*, dans lequel la même problématique apparaît en partant d'un questionnement sur le mot et la langue. L'écriture de Pascal Quignard se conçoit ainsi comme lecture, exploration au travers des siècles des langues et des histoires (*Vie secrète*, chapitre XXXII) :

> Je cherche à écrire un livre où je songe en lisant.
> J'ai admiré de façon absolue ce que Montaigne, Rousseau, Stendhal, Bataille ont tenté. Ils mêlaient la pensée, la vie, la fiction, le savoir comme s'il s'agissait d'un seul corps.
> Les cinq doigts d'une main saisissaient quelque chose.

Elle prend ainsi des formes très variées, en explorant des genres divers et en inventant le genre hybride du « traité » qui mêle le récit, le conte, la réflexion spéculative, genre qui prend une ampleur particulière avec le projet de *Dernier royaume* (6 tomes dont le dernier, *La barque silencieuse*, a paru en 2009).

Se met ainsi en place une dialectique complexe, non seulement entre le présent de l'écriture et les autres temps qu'elle convoque, mais aussi entre le retrait du lecteur-écrivain à l'écart du monde et son inscription dans le monde contemporain. Car, loin de considérer la littérature comme un refuge, Pascal Quignard inscrit bien son projet dans son temps (*Rhétorique spéculative*) :

> Je pense à ma faim : il n'est pas de faim qui s'assouvisse et perde au cours du jour le désir de dévorer encore. J'ai trop lu pour ne pas être insatiable. J'ai trop lu pour que je désespère subitement que la pensée aille plus avant que la convention de chaque époque et le dédain de tout. Je n'ai jamais jugé non plus qu'elle se bornât dans le simple miroitement narcissique des mots dans le langage. Le langage n'est pas apathique, impersonnel, ni anhistorique, ni divin. Je pense ceci : la faim de la pensée n'est pas rassasiée. Je pense que la haine de la pensée — que la pensée de ce temps après les raz de marée idéologique, humanitaire, religieux qui cherchent à voiler et à revêtir l'horreur hurlante de ce temps — commence à affamer la tête. Je sens l'essor d'une curiosité enfin réadressée à quelque chose qui lui est inconnu.

Mais le désir de pensée, la fureur de lire et d'écrire
n'affrontent pas directement le monde contemporain,
il permet au contraire de voir dans « l'angle du monde »,
pour reprendre une expression que l'on trouve dans
Les ombres errantes. Ainsi, l'écriture cherche dans sa réap-
propriation d'images, d'histoires, de textes passés un
« inconnu » toujours présent aujourd'hui, un « archaïque »
que la littérature traque.

2.

La trace du passé :
une recherche littéraire de l'inassimilable

1. *La réactivation du* XVIIe *siècle baroque et janséniste*

L'image érudite et précise qui nous est donnée du
XVIIe siècle janséniste et baroque dans *Tous les matins du
monde* ne cherche pas à rendre le monde de Sainte
Colombe et de Marin Marais plus proches de nous ou
plus familiers, mais plutôt à nous faire ressentir, le plus
intimement possible, combien ce monde est différent,
combien il est spécifique. L'époque ne sert pas de cadre
à l'histoire qui nous est racontée, elle marque l'écriture
de traces profondes, nourries par une connaissance
précise et documentée du XVIIe siècle. La pensée janséniste parcourt l'ensemble de l'œuvre de Pascal Quignard
(notamment dans *Les ombres errantes*). Dans *Tous les
matins du monde*, elle ne sert pas simplement à caractériser le personnage de Sainte Colombe et sa façon de
vivre, elle informe tout le livre qui devient une interro-

gation ouverte sur la solitude, sur le retrait du monde, sur le silence. La réflexion sur la musique, sur les liens de la viole avec la voix humaine, sur ses rapports étroits avec une rhétorique (ou une expression) des passions est nourrie de la lecture des textes de l'époque. Les références à la peinture, qu'elles soient explicites (Lubin Baugin) ou implicites (Georges de La Tour), ne permettent pas seulement de construire des tableaux inspirés de l'époque, mais induisent une interrogation profonde sur la matière et son opacité, sur la lumière et la façon qu'elle a de révéler les parts d'ombre. Éditeur du penseur janséniste Jacques Esprit, Pascal Quignard est aussi l'auteur d'un très beau livre sur Georges de La Tour. Plusieurs des réflexions qui émaillent cet essai résonnent dans l'écriture même de *Tous les matins du monde*, qui lui est presque contemporaine :

> Par le silence de la peinture les choses ordinaires cherchent à devenir intensément ordinaires.
> Le jansénisme, la Contre-Réforme baroque furent des décisions intérieures plus universelles que la foi et ses guerres qui leur ont donné cours. Et les œuvres que ces époques [...] ont produites ont un destin plus vaste que leur temps, ou que la seule doctrine classique. Parce que leur fond est la stupeur devant la mort, qu'elles décrivent pour elle-même, et non le dieu qui la rédime. Parce que le temps, l'abandon, la sexualité, la mort forment la sainte famille qui règne sans miséricorde et sans trêve sur les hommes.
> Les peintures ne racontent pas un récit : elles font silence en demeurant à son affût. Elles transforment la vie en son résumé. À la fois elles font du mystère la chose la plus domestique et elles rendent subitement solennelles les molécules de la condition humaine : naissance, séparation, sexualité, abandon, silence, angoisse, mort.

Ces quelques lignes caractérisent parfaitement le récit que nous offre Pascal Quignard des vies de Sainte Colombe et de Marin Marais : chercher les parts d'ombre en émaillant la biographie imaginaire d'éclats narratifs et poétiques qui éclairent certains instants dramatiques, suspendent des moments de vie pour ouvrir une possible spéculation sur la mort et la musique, un nouveau voyage orphique.

2. *La mémoire et la langue : à la recherche d'une chose définitivement perdue*

Le projet quignardien repose sur un paradoxe. D'un côté, l'écrivain affirme qu'il veut habiter le temps dans sa totalité (« Je compte les trois dimensions qui font le temps et il me semble aussitôt qu'il n'y a pas lieu de n'en épouser qu'une seule », XLIXᵉ *Traité*, *Petits traités II*), assurant que toutes les époques cohabitent dans l'homme. Mais, dans le même temps, l'œuvre quignardienne paraît habitée par la nostalgie d'un passé révolu. Quel est alors l'élément qui concilie ce qui est perdu et ce qui est présent ? C'est la mémoire. Mais cette mémoire qui agit dans l'écriture ne permet pas de « retrouver » le temps perdu comme dans le projet proustien, elle condamne au contraire à une certaine forme d'exil, à une perte insurmontable. Le projet littéraire se construit sur un mouvement contradictoire : rechercher un perdu que l'on sait sans retour.

Si le temps ne peut être retrouvé, c'est que le langage lui-même est marqué par cette même défaillance, car non seulement le mot n'est pas la chose (« fleur, absente de tout bouquet », écrivait Mallarmé), mais, en outre, il est acquis, il nous est donné. Dans *Le nom sur le bout de la langue,* Pascal Quignard articule précisément langue et mémoire, et peut affirmer que « toute parole est incomplète ». L'écriture sera ainsi une quête du mot juste, une quête qui ne pourra que décrire des cercles autour d'une « chose » toujours insaisissable :

> Aussi, toujours, toute parole est incomplète. Toute parole est incomplète deux fois, même dans l'hypothèse où la mémoire serait une action entièrement volontaire. Une fois, parce qu'elle n'a pas toujours été (parce que le langage est acquis). Une seconde fois, parce que la chose manque au signe (parce qu'elle est langage). Tout nom manque sa chose. Quelque chose manque au langage. Aussi faut-il que ce qui lui est exclu pénètre la parole et qu'elle en souffre.

Le critique Bruno Blanckeman, dans *Fictions indécidables : Jean Echenoz, Hervé Guibert, Pascal Quignard,* définit Pascal Quignard comme le « clerc élégiaque » d'une époque poststructuraliste qui pense le réel comme l'inaccessible même : « clerc » parce que son écriture a à voir avec le recensement, la compilation de pensées et de récits pris dans l'Histoire, extraits de civilisations différentes, le plus souvent passées, « élégiaque » parce que cette écriture sait qu'elle ne pourra faire revivre ces bribes que dans la mélancolie d'un ailleurs jamais atteignable. Le projet d'écriture de Pascal Quignard s'inscrit bien dans son époque, une époque héritière des interrogations philosophiques et théoriques qui contestent les pouvoirs de la raison et du *logos* (qui désigne à la fois la raison et le langage). Il entre ainsi en résonance avec le travail du psychanalyste Jacques Lacan (1901-1981), pour qui le Symbolique (c'est-à-dire ce qui relève du signifiant, du langage qui piège constamment le sujet parlant, dénommé le « parlêtre ») n'est jamais suscep-

tible d'atteindre le Réel qui, par définition, serait précisément ce que l'on rate.

Cet apparent constat d'échec, loin de condamner la
littérature au silence, la pousse au contraire à creuser
sans cesse dans cette part obscure qui échappe à l'entendement et à la conscience. Il invite à revenir au récit,
au rêve, au roman.

3. « *L'enchantement* » *de l'écriture*

Le terme d'enchantement peut paraître contradictoire par rapport à ce qui vient d'être dit, c'est pourtant
un mot qu'emploie Pascal Quignard lui-même dans
« Le passé », le chapitre VII de *Sur le jadis* : « Il faut sans
cesse ramener des preuves qu'on part prélever dans le
sous-sol de la terre et l'ombre de l'histoire. C'est la
friche d'enchantement. » L'écriture, en cherchant à
communiquer une chose qui sans cesse échappe, devient
multiple, elle invente des formes, elle cherche la fulgu-
ration et l'éclat pour dire l'ombre et l'indicible, elle
multiplie les paradoxes, elle écrit dans les interstices.
Le retour au récit et à la fiction participe précisément
de cette défaillance de la langue dont l'auteur est cons-
cient : le récit permet une reconstitution imaginaire
de ce qui nous échappe, il a à voir avec le rêve, il aide
à cerner cet « ineffable » que la musique porte en elle
(comme le rappelle le titre de l'essai de Vladimir Janké-
lévitch, *La musique et l'ineffable*), non par la force d'une
évocation épique mais, par l'intérêt qu'il porte aux
choses les plus petites, au « minuscule », aux « sordes »
que Pascal Quignard définit dans le chapitre IX (« Les
sordes ») de *Sordidissimes*, c'est-à-dire ces choses com-
munes, vulgaires qui, pourtant, nous mettent face au
mystère — c'est, par exemple, le bruit d'un enfant qui

urine dans la neige dans *Tous les matins du monde*
(p. 42) :

> Monsieur de Sainte Colombe arrêta son disciple en lui
> prenant le bras : devant eux un petit garçon avait
> descendu ses chausses et pissait en faisant un trou dans
> la neige. Le bruit de l'urine chaude crevant la neige se
> mêlait au bruit des cristaux de la neige qui fondaient
> à mesure. Sainte Colombe tenait une fois encore le
> doigt sur ses lèvres.
> « Vous avez appris le détaché des ornements », dit-il.

L'attention de l'écrivain se porte sur le rien, qu'il
renvoie à son étymologie latine « *res* », la chose, la petite
chose qui insiste et fait signe vers une réalité insaisissable. *Tous les matins du monde* construit des scènes qui
se font tableaux, qui signalent une acuité du détail et
suspendent le cours du récit pour ouvrir sur autre chose
(la première apparition de Mme de Sainte Colombe,
l'ultime échange musical entre Sainte Colombe et Marin
Marais à la fin du roman). Ces moments échappent à
l'événementiel, ils sont à peine racontables (et rappellent ce que le critique Gérard Genette désigne chez
l'auteur de *Madame Bovary* comme « les silences de Flaubert »). L'écriture serait-elle capable, comme la musique,
de nous faire apparaître la chose insaisissable, de nous
la faire ressentir ? A-t-elle encore les pouvoirs d'enchantement qui étaient ceux d'Orphée ?

Dans *Abîmes*, quatrième volume de *Dernier royaume*,
Pascal Quignard écrit : « Que l'on n'oublie pas que je
ne dis rien qui soit sûr. Je laisse la langue où je suis né
avancer ses vestiges et ces derniers se mêlent aux lectures et aux rêves. » Voilà qui caractérise parfaitement
une écriture qui, dans tous les cas, échappe aux défini-
tions et aux catégorisations.

Pour prolonger la réflexion…

… par des œuvres littéraires

Gérard MACÉ, *Le dernier des Égyptiens*, Gallimard, « Folio », 1988 ; *Vies antérieures*, Gallimard, « Le Chemin », 1991.

Pierre MICHON, *Les Onze*, Verdier, 2009 ; *Rimbaud le fils*, Gallimard, « Folio », 1991 ; *Vies minuscules*, Gallimard, « Folio », 1984.

Pascal QUIGNARD, *Dernier royaume, I. Les ombres errantes, II. Sur le jadis*, Grasset, 2002 ; *Le nom sur le bout de la langue*, P.O.L, 1993 ; *Rhétorique spéculative*, Calmann-Lévy, 1995 (tous ces titres sont repris en « Folio »).

… par des essais critiques

Chantal LAPEYRE-DESMAISON, *Mémoires de l'origine, un essai sur Pascal Quignard*, Flohic, 2001 ; *Pascal Quignard le solitaire*, Flohic, 2001, Galilée, 2006.

Jean-Louis PATROT, *Pascal Quignard ou le fonds du monde*, Rodopi, New York, 2007.

Dominique RABATÉ, *Pascal Quignard, Étude de l'œuvre*, Bordas, 2008.

Dominique VIART et Bruno VERCIER, *La littérature au présent. Héritage, modernité, mutations*, Bordas, 2005, nouvelle édition augmentée 2008.

3.
Le jansénisme comme toile de fond

1. *Une pensée austère*

Le jansénisme est un catholicisme pessimiste et sévère, marqué par la doctrine de saint Augustin (354-430). Il se développe au début du XVIIe siècle à une époque où la religion catholique cherche à se renouveler face au développement du Protestantisme. Le cardinal de Bérulle (1575-1629) en est l'un des plus actifs instigateurs, puis Cornélius Jansénius (1585-1638), évêque flamand, qui écrit l'*Augustinus* (1640), somme des idées de saint Augustin. L'abbé de Saint-Cyran se fait le relais de ces idées en France auprès des religieuses de l'abbaye de Port-Royal-des-Champs. Pour les jansénistes, l'homme, réduit depuis la chute (c'est-à-dire l'expulsion d'Adam par Dieu hors de l'Éden) à l'état de pécheur, est le jouet de ses passions, il est perdu dans un monde sans lumière et ne peut espérer en son salut, car ce salut dépend exclusivement de la grâce, faveur gratuite et toute-puissante d'un Dieu caché, auquel l'homme n'a pas accès directement dans le monde. Très vite, Port-Royal et les jansénistes préoccupent le pouvoir politique. En effet, le jansénisme connaît un vif succès dans les membres de la bonne société et de la noblesse dont certains se « retirent » du monde pour mener une vie de solitude, d'étude et de prière, consacrée à l'amour de Dieu et à l'attente de la grâce, formant ainsi les « Solitaires » ou « Messieurs de Port-Royal », dont Antoine Arnauld (1612-1694) et Pierre Nicole (1625-1695) furent les plus illustres représentants. À partir de 1649, ce rigorisme religieux, qui s'oppose à la religion mondaine des jésuites, devient l'objet d'attaques théologiques et politiques de plus en plus violentes. En 1665, le pouvoir décide la fermeture des «Petites Écoles» (lieu d'ensei-gnement pour les enfants dans lequel passa notamment Jean Racine) et l'excommunication des religieuses qui refusent de renoncer aux cinq propositions de Jansénius (résumé en cinq points de la doctrine janséniste que les autorités ecclésiastiques réfutent et jugent hérétiques). En 1668, avec la «Paix de l'Église», Louis XIV met fin aux persécutions que subissaient les jansénistes. Mais elles reprennent dès 1679 : novices et confesseurs sont expulsés du monastère de Port-Royal-des-Champs et tout nouveau recrutement est interdit. Pierre Nicole s'exile dans les Flandres jusqu'en 1683, Antoine Arnauld se réfugie à Bruxelles en 1680. Le conflit ne cesse qu'au début du siècle suivant, avec la destruction de Port-Royal-des-Champs. Ces persécutions successives s'expli-quent en grande partie par des raisons politiques : les jésuites, proches du pouvoir, craignent de voir leur influence réduite, la monarchie, quant à elle, a peur d'un contre-pouvoir difficilement contrôlable, puisqu'il repose en partie sur le renoncement aux valeurs mon-daines qui séduit de plus en plus d'hommes de qualité.

2. *Sainte Colombe, le janséniste*

Avec le personnage de Sainte Colombe, Pascal Qui-gnard compose une figure janséniste : taciturne, retiré à la campagne dans une très grande austérité de mœurs, il refuse et méprise les honneurs. Il a renoncé au monde pour se consacrer à son art. Il confie d'ailleurs l'édu-cation de ses filles à un «homme qui appartenait à la société qui fréquentait Port-Royal, Monsieur de Bures».

Les scènes d'opposition entre Sainte Colombe et Monsieur Caignet, puis l'abbé Mathieu, signalent tout particulièrement cette dimension. La fin du chapitre v explicite cet ancrage historique : « [Le roi] dit qu'on laissât en paix le musicien tout en enjoignant à ses courtisans de ne plus se rendre à ses assemblées de musique parce qu'il était une espèce de récalcitrant et qu'il avait eu partie liée avec ces Messieurs de Port-Royal, avant qu'il les eût dispersés. »

Toute l'œuvre de Pascal Quignard est marquée par cet intérêt qu'il porte à la solitude janséniste et à ses réalisations artistiques. Ainsi dans *Les ombres errantes*, le jansénisme ne cesse d'être présent, et notamment dans les chapitres xviii et xxxix consacrés à Saint-Cyran :

> Il y a dans la pensée de Monsieur de Saint-Cyran une conception si intransigeante de la liberté intérieure qu'elle eût dévasté n'importe quelle société. Du moins ce fut ce que Richelieu ressentit aussitôt en le recevant au palais du Louvre. Il eut peur. Et ce fut ce qui le poussa à le faire arrêter sans aucun motif le 14 mai 1638. Les problèmes théologiques ne furent invoqués qu'après son incarcération. Autant d'excuses doctrinales pour dissimuler une intuition qui avait d'abord pris les traits de la simple peur.
> Il jetait sur le siècle un regard si absolu qu'il semblait condamner toute activité dans le monde.
> Il niait en Dieu la légitimité des liens familiaux.
> Il maudissait les activités professionnelles.
> Il méprisait les devoirs politiques.
> Il excluait tout lien qui ne fût qu'humain, qui ne fût que collectif, qui ne fût qu'universel.
> Il prêcha une façon de vivre arrachant au monde avec une violence radicale.
> Il posa violemment ce paradoxe, à l'extérieur de la

clôture de Port-Royal des Champs, d'une Société des Solitaires.

L'homme devenait un Monsieur lointain qui vous-soyait l'autre homme pour le fuir. Juste avant de se retirer à jamais dans la lecture divine.

[...]

Monsieur de Saint-Cyran, après qu'il fut élargi de sa prison l'année 1643, évoquait les vanités du monde à la façon dont les peintres avaient pris l'habitude de les représenter sur leurs tableaux :

verres de vin à demi pleins ;

luths brun et rouge ;

chandelles et cartes à jouer blanchâtres ;

pelures de citron qui pendent au bord des tables ;

miroirs avec reflets ;

miroirs sans reflet.

De tous ces objets il disait qu'il s'était passé avec aisance dans le cachot.

Même de l'image de ce qu'on n'a pas, on se passe.

Les rêves suffisent à pourvoir de l'ersatz pour tout ce dont le corps est privé.

*

C'est aussi en prison que Monsieur de Saint-Cyran a écrit cette page : Car après qu'on a ruiné la cupidité des richesses, des honneurs et des plaisirs du monde, il s'élève dans l'âme, de cette ruine, d'autres honneurs, d'autres richesses, d'autres plaisirs, qui ne sont pas du monde visible, mais de l'invisible.

Cela est épouvantable, qu'après avoir ruiné en nous le monde visible avec toutes ses appartenances autant qu'il peut être ruiné ici-bas, il en naisse à l'instant un autre invisible, plus difficile à ruiner que le premier.

Saint-Cyran évoque la vanité des livres qui ne sont que des livres. Des dieux qui ne sont que des fantasmes. Des idées qui ne sont que des désirs.

(chapitre xxxix, p. 127-128)

Quelques œuvres littéraires marquées par le jansénisme

MADAME DE LAFAYETTE, *La Princesse de Clèves*, 1677, Folioplus classiques n° 39.

BLAISE PASCAL, *Les Provinciales*, 1657 ; *Pensées*, posthume 1670, « Folioplus classiques » n° 148 (liasses II à VIII).

LA ROCHEFOUCAULD, *Maximes*, 1665, « Folio classique » n° 728.

Genre et registre

Le récit réinventé

PRÉSENTÉ COMME UN ROMAN, le texte de *Tous les matins du monde* frappe par sa singularité narrative : concis, précis, jouant avec le genre de la biographie (ou plutôt de la notice biographique), construit autour d'un nombre restreint de courtes scènes et de tableaux, il étonne son lecteur car il lui raconte une histoire sous une forme inhabituelle et s'éloigne des canons du genre. Cette écriture narrative doit être mise en rapport avec les autres formes et genres expérimentés par Pascal Quignard, dont les livres entrent dans cette catégorie des « œuvres migrantes » que Julien Gracq a définie dans *En lisant en écrivant* (1980) : des œuvres qui échappent aux catégories génériques traditionnelles, qui « migrent » sans cesse d'un genre à un autre. Certes, *Tous les matins du monde* est un texte purement narratif, qui n'entre pas explicitement en dialogue avec une réflexion ou une rêverie qui se ferait sur le mode discursif, contrairement à ce qui se passe dans *La leçon de musique*, dont *Tous les matins du monde* réécrit sous la forme d'un pur récit le premier chapitre (« Un épisode tiré de la vie de Marin Marais »). Cependant, malgré cette apparente « pureté » générique, le texte de *Tous les matins du monde* ne cesse d'opérer des déplacements constants entre plusieurs modes narratifs : la neutralité historique du récit de vie disparaît pour céder la place à une scène dialoguée, semble revenir, puis s'éclipse à nouveau devant l'éclat d'un bref tableau. La narration donne ainsi l'impression de se construire autour de silences, de retours, de variations, d'ellipses temporelles, mais sans jamais que l'histoire racontée soit perdue de vue. C'est le genre même du roman qui se trouve ainsi profondément redéfini.

1.

Un récit « troué »

1. *Le court roman et l'esthétique du fragment*

Il est intéressant de mettre l'écriture de *Tous les matins du monde* en regard d'un petit texte de Pascal Quignard, paru en 1986, intitulé *Une gêne technique à l'égard des fragments*. Ce texte se présente comme une réflexion autour d'une des grandes figures de l'écriture moraliste du XVIIᵉ siècle, Jean de La Bruyère, auteur des *Caractères*. Pascal Quignard y analyse son rapport à l'écriture fragmentée (suite de textes épars, mis les uns avec les autres) : il se dit à la fois irrésistiblement attiré par cette forme et « gêné » par son systématisme et sa paresse. Le fragmenté, le discontinu sont devenus des poncifs de la modernité, ils ne sont plus que bribes, loques, copeaux, « charpies », mais ils sont aussi nécessaires pour éviter les chevilles creuses de l'écriture continue — car le texte continu traditionnel est trop imprégné « de la voix et de son comportement social répétitif, bilatéral comme ses pages, comme les yeux qui le lisent, comme

les mains qui le tiennent, démonstratif, enfantin, ver-
beux ». L'écriture et la pensée sont-elles originairement
fragmentaires ? Pascal Quignard s'interroge. Il lie par
ailleurs le goût pour le fragment à son caractère « un
peu ruiniforme » : il laisse imaginer le tout dont il est
ne serait plus que la trace. Il cite ainsi le romantique
allemand Schlegel :

> Schlegel faisait remarquer que comme les œuvres que
> nous admirons le plus — c'est-à-dire, depuis la Renais-
> sance, les œuvres de l'Antiquité — nous étaient par-
> venues à l'état de fragments, les œuvres des modernes
> cherchaient à épouser en naissant cet état, imputant
> la fascination qu'elles exercent à la fragmentation et
> estimant que ces morceaux, qui évoquaient des touts
> indicibles et absents, par le désir qu'ils en laissaient,
> accroissaient l'émotion.

En cela, la rhétorique du fragment semble particulièrement bien résonner avec la poétique de l'auteur des
Petits traités et l'on peut comprendre ce qui l'attire dans
cette forme. Il finit par définir une opposition fondamentale :

> L'opposition la plus profonde est celle du lié et de
> l'épars, du système et de l'intrus. Vase soudain égueulé.
> Falaise dans la mer. Adversaire que l'épée éventre.
> Mais d'abord le vase intact ; d'abord la mer étendue,
> anhumaine, et immense ; d'abord, l'adversaire vivant.

Ce qui fascine dans *Une gêne technique à l'égard des
fragments*, c'est l'expression d'un dégoût doublé d'une
attirance, sur lesquels l'auteur ne cesse de revenir, se
rendant compte finalement qu'il est lui-même en train
d'écrire de façon fragmentaire, alors qu'il avait le projet
de se débarrasser de ce penchant naturel. C'est que
cette manière d'écrire lui est sans doute nécessaire :

> Le recours à une forme très segmentée, plus ou moins fragmentaire, c'est aussi un peu l'absence d'un « tout » à dire qui le contracte — absence qui est elle-même cruelle mais qui a sa lueur et, sinon paresse, engourdissement devant l'effort qui consisterait à se ressaisir d'un texte dont l'unité elle-même serait feinte, à coudre ensemble des arguments qui ne s'apparient plus. Plaisir alors de les condenser et aversion à les développer et à les étoffer. Plus rien ne guide, ne se sent assuré, ne se plaît à soi.

Ce texte est publié la même année que *Le salon du Wurtemberg,* un roman-fresque qui se déroule sur une vingtaine d'années, dans lequel un musicien célèbre, retiré dans la propriété familiale, se souvient de sa vie, soudain métamorphosée par la redécouverte du musicien Sainte Colombe. Ce récit à la première personne est le premier texte de Pascal Quignard que l'on peut désigner sans hésitation par le terme de roman. Suivront deux autres romans : un « grand » roman en 1989, *Les escaliers de Chambord,* puis, en 1991, un court, *Tous les matins du monde,* réécriture d'un épisode narratif raconté dans *La leçon de musique* (publié en 1987). Il est intéressant de replacer ces trois textes narratifs en regard de la « gêne » exprimée par leur auteur à l'endroit du fragment : avec *Le salon du Wurtemberg* et *Les escaliers de Chambord,* tout se passe comme si Pascal Quignard cherchait à lutter contre sa tendance au discontinu en voulant s'approprier le souffle, le « lié » propre au genre romanesque. Avec *Tous les matins du monde,* l'enjeu se déplace : Quignard semble tenter d'exporter dans le genre romanesque l'esthétique du fragment qui lui est chère. Avec la forme du court roman, il cherche à construire, au sein d'une unité — celle de la narration, qui reste très forte dans le roman

puisque le lecteur suit l'histoire de deux personnages
principaux, que le récit déroule chronologiquement,
avec un début et une fin —, du fragmenté, de l'épars,
une chose cachée, plus sourde, moins évidente. Il refuse
la forme romanesque traditionnelle pour raconter une
histoire en évitant les «ligatures», les «phrases creuses
qui meublent entre les arguments», en y laissant des
blancs et des silences. Les très courts chapitres, les
scènes juxtaposées sont ainsi comparables à ce que leur
auteur dit des fragments :

> Ils sont comparables à ces petites flaques d'eau qui
> sont déposées sur le chemin après l'averse, et que la
> terre n'a pas bues. Chacune d'entre elles reflète tout
> le ciel, les nuages qui se sont déchirés et qui passent,
> le soleil qui luit de nouveau. Une grande mare, ou
> tout l'océan, n'aurait répété le ciel qu'une fois.

Avec le roman, Quignard recherche une cohérence,
une continuité, une «sorte de flux», données par le
récit lui-même et son déroulement, pour que chaque
scène, considérée comme un fragment, «puisse surgir
comme tout à fait imprévue et inattribuable».

2. *Le récit en litote*

Le récit de *Tous les matins du monde* frappe par sa
construction paratactique — la parataxe désignant cette
figure de style qui consiste à juxtaposer en évitant coor-
dinations et subordinations. Les chapitres sont posés
les uns à côté des autres ; les différents épisodes du
récit, les scènes, sont liés par la chronologie, par le suivi
de l'histoire en train de se raconter, mais il n'y a aucune
cheville, aucun effort pour mettre explicitement en
relation ces morceaux de récit les uns avec les autres.
Cet effet est présent aussi bien au niveau de la macro-

structure, c'est-à-dire de l'organisation du récit consti-
tué de chapitres courts juxtaposés, qu'au niveau de la
microstructure, c'est-à-dire de la phrase elle-même. La
force de cette «déliaison» tient au fait qu'elle crée de
puissants effets d'ombre et de lumière qui rappellent ce
que Pascal Quignard peut écrire à propos de la peinture
de Georges de La Tour (il sous-titre cet essai «La nuit
et le silence»). Le récit se construit autour d'éclats, de
scènes particulièrement frappantes par leur économie
narrative, par la concision et la précision de l'écriture
du dialogue, par leur sens du détail marquant (avec des
effets de focalisation sur un objet, une matière). La
lumière projetée par ces scènes sur l'histoire qui est en
train de se raconter permet, par un jeu de contraste, de
mettre en évidence l'ombre, c'est-à-dire tout ce qui
n'est pas dit, tout ce qui ne peut être dit, tout ce qui
passe par le pouvoir d'évocation de la langue, tout ce
qui est de l'ordre de l'ineffable. Le récit laisse une place
au mystère, à une réalité autre qui ne peut être saisie
par l'écriture. Cela participe à un effet de litote géné-
ralisé, comme le dit le critique Dominique Rabaté :
«une sorte de litote habite ainsi le roman, qui vibre de
quelque chose de plus que ce qu'il dit». La litote, particulièrement valorisée au XVIIe siècle, consiste à dire
moins pour exprimer plus. Le récit se concentre autour
de trouées de lumière, parfois extrêmement vives, violentes, créant de véritables déflagrations : la colère de
Sainte Colombe lorsqu'il brise la viole de son jeune
élève (chap. XIII), la brutalité de la rupture entre Marin
Marais et Madeleine (chap. XVIII), le suicide de Madeleine (chap. XXV).

Si le déroulement romanesque est comme ajouré, le
récit n'est cependant pas uniquement composé d'une
suite de «scènes» juxtaposées, il s'attache à une narra-

tion liée. Mais, afin que cette narration reste le plus
en mineur possible, Pascal Quignard choisit d'imiter
la neutralité descriptive de la notice biographique, de
rester comme à l'extérieur de son récit. Cela lui permet
d'éviter toute psychologie, mais aussi de créer une certaine brutalité narrative (rien n'est expliqué, mais les
faits sont présentés dans leur répétition, dans un déroulement chronologique faussement factuel).

Comme le dit la critique Sylviane Coyault-Dublancher,
la cohérence du roman, son «lié», se construit par une
«sédimentation progressive du sens» qui charge peu à
peu les rares éléments du récit, en jouant également du
retour des mêmes métaphores, des mêmes structures
syntaxiques, des mêmes mots. Se met ainsi en place
«un système clos où peut subsister une économie mesu-
rée du langage exploitant un nombre limité de tropes»
et qui s'appuie sur un nombre restreint de foyers narratifs qui convergent : la mort, l'amour, la musique.
Comme exemple de cette économie narrative si particulière, on peut citer notamment les apparitions de
Madame de Sainte Colombe. Ces moments rêvés, loin
d'être stylistiquement marqués comme constituant un
événement essentiel et hors du commun, s'intègrent
sans heurt au reste du récit. Alors que, traditionnellement, ce type d'intervention du surnaturel serait
signalé dans le récit par un changement de style (autre
lexique, usage plus marqué de la métaphore), Pascal
Quignard les met sur le même plan narratif. La fin du
chapitre VI, qui correspond à la première apparition de
la femme de Sainte Colombe, est tout à fait représen-
tative de cette manière. Elle signale par ailleurs une
autre caractéristique de cette écriture, la façon si particulière qu'elle a de clore les différents épisodes du
récit : le texte se suspend sur une image, souvent très

simple, qui ouvre sur autre chose (une chose qui ne sera pas développée, qui existe pour elle-même). Ainsi, à la fin de ce même chapitre VI, la simple mention du verre à moitié vide et de la gaufrette à demi rongée (p. 25) permet de préserver l'énigme de cette visite depuis l'au-delà, sans la charger de sens, sans y insister.

2.

Le travail des scènes : dialogue et image

Même si *Tous les matins du monde* répond à une demande du réalisateur Alain Corneau, il s'agit bien d'un roman, et non d'un scénario — Pascal Quignard se disant incapable d'écrire directement pour le grand écran. Pourtant, ce roman porte en lui la possibilité du cinéma, parce que le récit se construit sur la mise en place de scènes et de tableaux qui passe par un travail extrêmement précis et minutieux du dialogue et de l'image.

1. *Le dialogue*

Le dialogue de cinéma diffère du dialogue de roman. Au cinéma, la scène dialoguée est, avec l'image sans paroles, le seul outil narratif. Comme au théâtre, c'est par le dialogue, complété par l'image, que l'histoire se raconte. Dans le roman, le dialogue n'est généralement qu'une façon de mettre en évidence certains moments de l'histoire qui pourrait se raconter autrement. Le dialogue au cinéma doit s'inscrire dans une situation d'échange verbal clairement définie et trouver une économie de parole qui sonne juste. Si cette première

différenciation entre cinéma et roman permet d'éclairer
les enjeux de l'écriture du dialogue, elle doit cependant
être tout de suite nuancée. Au XXᵉ siècle, le roman a
beaucoup développé le dialogue, sous l'influence principalement du roman réaliste américain ; ainsi, une très
grande partie de la narration romanesque est passée
dans les scènes dialoguées qui, souvent, semblent immédiatement transposables au cinéma ou au théâtre. Par
ailleurs, le dialogue au cinéma peut revêtir des formes
diverses et s'écrire dans des styles très différents : la
langue très parlée, naturaliste, même si elle semble
dominer aujourd'hui l'écriture du dialogue cinématographique (et surtout télévisuel), ne constitue pas, contrairement à l'opinion commune, le modèle unique.

Dans *Tous les matins du monde*, le dialogue frappe par
sa brièveté et la singularité de la langue qu'il emploie.
En effet, la simplicité des outils stylistiques utilisés par
Pascal Quignard permet à la fois de créer une langue
qui puisse facilement être dite tout en s'éloignant de la
platitude naturaliste. Prenons comme exemple la scène
du chapitre v (p. 20-22) dans laquelle l'abbé Mathieu,
envoyé par le roi, veut convaincre Sainte Colombe de
venir jouer à la Cour. La première réplique de l'abbé
cherche à persuader par le recours à l'autorité des
exemples antiques et à la force des images : «Vous
enfouissez votre nom parmi les dindons, les poules et
les petits poissons.» Cette image très simple des ani-
maux, couplée à la force du verbe «enfouir», donne
d'emblée de l'intensité à l'échange entre les deux
hommes et crée, dans le même temps, une certaine
incongruité qui permet d'éviter le naturalisme. La
réponse de Sainte Colombe reprend directement la
rhétorique mise en place par l'abbé en développant le
même type de discours imagé, mais toujours avec une

simplicité et une force qui ne rompent pas le caractère parlé et dialogué de la parole. Pascal Quignard s'inspire dans la suite de cet échange de l'art de la pointe et du goût pour le trait d'esprit, caractéristique d'un certain XVIIe siècle, celui de la mondanité et de la préciosité, mais sans que cette rhétorique vienne occulter l'enjeu de la scène et sa violence : les répliques s'inscrivent dans une situation qui signifie l'opposition brutale entre deux systèmes de valeur et qui est marquée par la position des deux hommes dans la pièce, par la réaction violente de Sainte Colombe (il casse une chaise tandis que l'abbé tapote avec sa canne le carreau de la fenêtre). Le caractère fortement écrit de l'échange dialogué, qui s'appuie sur des effets de style très présents (parallélismes, métaphores, choix d'un lexique précis), mais aussi très simples, sert donc la situation et s'inscrit parfaitement dans les enjeux dramatiques mis en place par le récit. Et pourtant, Pascal Quignard se permet d'y développer une langue en continuité avec le reste de la narration, notamment dans l'emploi des mêmes métaphores. Le dialogue peut se faire poétique, capable de préserver une certaine opacité, comme dans le dernier chapitre lorsque Marin Marais tente de répondre à la question que lui pose Sainte Colombe : « Que recherchez-vous, Monsieur, dans la musique ? » Il répond : « Je cherche les regrets et les pleurs. » Cette conversation se prolonge par des échanges autour de la définition de la musique qui se fait d'abord par la négative : elle n'est ni « le contraire du langage » ni « une gaufrette donnée à l'invisible », avant d'être évoquée comme « un petit abreuvoir pour ceux que le langage a désertés ».

2. *L'image*

L'écriture de *Tous les matins du monde* tend également vers le cinéma par la place importante qu'y occupe l'image. Pascal Quignard compose des «peintures coites» (terme qu'il emploie à propos de Georges de La Tour), des tableaux, très soucieux des couleurs et des détails, non seulement dans la description des lieux, mais aussi dans celle des personnages. Il arrête le regard sur des objets (la gaufrette, le verre de vin, le morceau de velours de Gênes vert...), sur des fragments de corps (une main, une nuque, des lèvres...). La «vorste» de Sainte Colombe, la cabane qu'il a fait construire dans le jardin, «dans les branches d'un grand mûrier» (p. 9), pour s'isoler et jouer de la viole, constitue un lieu particulièrement inspirant pour le cinéaste et son décorateur et crée un espace de jeu, c'est-à-dire un espace qui, par lui-même, développe des situations : Marin Marais, notamment, se cache sous la cabane pour entendre les compositions de son maître. Par ailleurs, la référence constante à la peinture, qu'elle soit explicite (Lubin Baugin) ou implicite (Georges de La Tour) peut mettre en place une possible écriture cinématographique à laquelle Alain Corneau et son directeur de la photographie (Yves Angelo) furent particulièrement sensibles. Ils ont construit l'ensemble de leur film en plans fixes, c'est-à-dire sans mouvements de caméra, plans qui constituent autant de tableaux vivants et dans lesquels un soin tout particulier fut apporté à la lumière (choix du clair-obscur, mise en valeur de couleurs tranchées sur des fonds plutôt gris). Yves Angelo insiste sur le choix d'une certaine austérité dans la composition de l'image. Pour le travail de lumière, il s'est inspiré de la peinture de l'époque (outre Baugin, il cite Philippe de Champaigne) et de l'essai de l'auteur japonais Junichiro Tanizaki, *Éloge de l'ombre*, qui tente de montrer comment l'ombre et la pénombre dévoilent plus que la lumière. Le travail du cadre a consisté à ne filmer qu'en caméra fixe. Non seulement le plan fixe permet une lumière plus précise, très ponctuelle, et donc un travail des ombres, mais il crée en outre une distance et un positionnement particuliers par rapport à ce qui est montré et il impose un rythme assez lent. Cela influe sur le rapport du spectateur à l'image : il n'est pas diverti, mais constamment à l'affût, à la fois soumis à une plus grande contrainte et forcé, paradoxalement, à une plus grande liberté dans le regard.

3. *Écrire sur l'image*

Pascal Quignard s'est beaucoup interrogé sur la complexité des rapports entre le texte et l'image. Il a écrit à partir de tableaux (sur Georges de La Tour), de fresques (*Le sexe et l'effroi*). Au début de *Rhétorique spéculative*, il définit la littérature comme l'art des images et de la métaphore. Mais dans le VIIe *Traité*, intitulé « Sur les rapports que le texte et l'image n'entretiennent pas », il insiste sur le fait que la force évocatrice des mots sera toujours étrangère à celle des images : « La mise en images "tue" les mots, puisqu'elle prétend se ressaisir de ce qu'ils avaient d'abstrait dans l'immédiateté continue pour le réintroduire dans l'univers physique. » Ce seraient donc deux langages irrémédiablement inconciliables.

Ainsi, lorsque Chantal Lapeyre-Desmaison lui demande s'il existe selon lui un lien de nature entre cinéma et roman, Pascal Quignard répond négativement (*Pascal Quignard le solitaire*) :

> Je ne crois pas qu'il y ait un lien d'inhérence. Ce n'est
> d'ailleurs pas au détriment du cinéma. Je crois qu'il y
> a un lien direct entre vision onirique et cinéma. […]
> Bien sûr il est vrai que l'hallucination, les scènes, le
> montage… tout ceci appartient aussi au roman, mais
> cela lui appartient à partir de l'infiltration interne du
> langage. […] Le film est plus proche du rêve. Le
> roman n'est proche que du récit du rêve.

Cette interrogation est proche de celle de Marguerite
Duras dont l'écriture suscita immédiatement l'intérêt
des cinéastes. Peu convaincue par les adaptations faites
de ses livres, elle développa alors sa propre écriture
filmique, empreinte d'un questionnement permanent
sur les possibilités d'articulation entre le texte et l'image :
comment faire du cinéma qui préserve à la fois la force
du texte et la force de l'image ? Comment faire en sorte
que l'image ne vienne pas illustrer les mots ? L'adaptation cinématographique, à la fois réussie et évidem-
ment décevante, de *Tous les matins du monde* par Alain
Corneau ouvre sur ce type de questionnement.

Pour prolonger la réflexion…

… par des œuvres de Pascal Quignard

Une gêne technique à l'égard des fragments, Fata Morgana,
1986, rééd. Galilée, 2005.

Le salon du Wurtemberg, Gallimard, 1986, « Folio »
n° 1928.

Les escaliers de Chambord, Gallimard, 1989, « Folio »
n° 2301.

… par des essais critiques

Sylviane COYAULT-DUBLANCHET, « Sous prétexte
de biographie : *Tous les matins du monde* de Pascal
Quignard », dans *Des récits poétiques contemporains*,

études rassemblées et présentées par Sylviane Coyault, Université Blaise-Pascal, CRLMC, 1996, p. 183-196.

Aline MURA, « Le temps des "œuvres migrantes". Le modèle et le genre, mémoires du littéraire », dans *Problématique des genres, problèmes du roman*, études réunies par Jean Bessière et Gilles Philippe, Champion, 1999, p. 125-140.

L'écrivain
à sa table de travail

Lectures, écritures, réécritures

POUR PASCAL QUIGNARD, L'ÉCRITURE est une forme de lecture. Il écrit à partir d'autres textes, à partir de peintures, de souvenirs, de mots. Il développe ainsi une œuvre palimpseste, dans laquelle l'auteur écrit à partir des textes des autres, mais aussi à partir de ses propres œuvres. Le roman *Tous les matins du monde* est une réécriture purement narrative d'un épisode raconté dans *La leçon de musique*, livre qui s'appuie lui-même sur la lecture de textes anciens, tandis que le film sera une réécriture-adaptation du roman pour l'écran.

1.

L'histoire de Marin Marais
dans *La leçon de musique*

1. *La source principale : Titon du Tillet*

La première partie de *La leçon de musique* s'intitule « Un épisode tiré de la vie de Marin Marais ». Pour écrire, Pascal Quignard s'inspire d'une notice biographique tirée du livre d'Évrard Titon du Tillet, *Vies des Musiciens et autres Joueurs d'Instruments du règne de Louis Le Grand*, publié au XVIIIe siècle. Ce texte source est donné sous forme de citations en plusieurs endroits de *La leçon de musique* et sert de point de départ à la rêverie narrative et spéculative de l'auteur. Voici un extrait du début du texte de Titon du Tillet :

> On peut dire que Marais a porté la Viole à son plus haut degré de perfection, et qu'il est le premier qui en fait connaître toute l'étendue et toute la beauté par le grand nombre d'excellentes pièces qu'il a composées sur cet instrument, et par la manière admirable dont il les exécutoit.
>
> Il est vrai qu'avant Marais Sainte Colombe faisoit quelque bruit pour la Viole ; il donnoit même des Concerts chez lui, où deux de ses filles jouoient, l'une du dessus de Viole, et l'autre de la Basse, et formoient avec leur père un Concert à trois Violes, qu'on entendoit avec plaisir, quoiqu'il ne fût composé que de symphonies ordinaires et d'une harmonie peu fournie d'accords.
>
> Sainte Colombe fut même le Maître de Marais ; mais s'étant aperçu au bout de six mois que son Élève pouvoit le surpasser, il lui dit qu'il n'avoit plus rien à lui montrer. Marais qui aimoit passionnément la Viole, voulut cependant profiter encore du sçavoir de son maître pour se perfectionner dans cet Instrument ; et comme il avoit quelque accès dans sa maison, il prenoit le temps en été que Sainte Colombe étoit dans son jardin enfermé dans un petit cabinet de planches, qu'il avoit pratiqué sur les branches d'un Mûrier, afin d'y jouer plus tranquillement et plus délicieusement de la Viole. Marais se glissoit sous ce cabinet ; il y entendoit son Maître, et profitoit de quelques passages et de quelques coups d'archets particuliers que les Maîtres de l'Art aiment à se conserver ; mais cela ne dura pas long temps, Sainte Colombe s'en étant apperçu et s'étant mis sur ses gardes pour n'être plus entendu par son Élève : cependant il lui rendoit toujours justice

> sur le progrès étonnant qu'il avait fait sur la Viole ; et
> étant un jour dans une compagnie où Marais jouoit
> de la Viole, ayant été interrogé par des personnes de
> distinction sur ce qu'il pensoit de sa manière de jouer,
> il leur répondit qu'il y avoit des Élèves qui pouvoient
> surpasser leur Maître, mais que le jeune Marais n'en
> trouverait jamais qui le surpassât.

Le texte biographique développe ensuite le travail
musical de Marais, ses succès à la Cour et avec Lully,
avant de revenir sur la fin de sa vie :

> Marais trois ou quatre ans avant sa mort s'étoit retiré
> dans une maison, rue de l'Oursine, faubourg Saint
> Marceau, où il cultivoit les plantes et les fleurs de son
> jardin. Il louoit cependant une Salle rue du Batoir,
> quartier Saint André des Arcs, où il donnoit deux ou
> trois fois la semaine des leçons aux personnes qui
> vouloient se perfectionner dans la Viole.
> Il eut dix-neuf enfants de Catherine d'Amicourt, avec
> laquelle il a été marié cinquante-trois ans, et célébré
> ses Noces Jubilaires.

On voit bien quels éléments narratifs Pascal Quignard
a extraits de ce texte pour écrire tout d'abord le « petit
traité » que constitue *La leçon de musique,* puis le roman
Tous les matins du monde : les cours que Marais prit avec
Sainte Colombe, la cabane construite par ce dernier
dans son jardin pour jouer de la viole, les concerts qu'il
donnait avec ses filles.

C'est également chez Titon du Tillet que Pascal Quignard trouve une information biographique essentielle
à l'écriture de *La leçon de musique* : la perte par Marin
Marais de sa voix d'enfant.

2. La leçon de musique : première réécriture du matériau biographique

La leçon de musique s'empare de ces éléments biographiques pour les intégrer à une réflexion sur la mue, ses rapports à une voix originelle, à jamais perdue, mais sans cesse recherchée par la musique comme par l'écriture. Il les mêle à d'autres connaissances concernant l'histoire de la musique, glanées au fil de ses lectures. L'élément narratif se concentre autour d'un moment particulier, celui où Marin Marais est chassé de Saint-Germain-l'Auxerrois, qui revient constamment et qui est l'objet d'incessantes réécritures dans le début de la première partie :

> En 1672 Marin Marais fut jeté de la maîtrise de Saint-Germain-l'Auxerrois pour cause de mue.
> On peut présenter les faits d'une autre manière : Marin Marais, au lendemain de la mue, comme il cessait brutalement d'espérer pouvoir atteindre la maîtrise de la voix humaine, rejeté de la maîtrise de Saint-Germain-l'Auxerrois pour ce motif, aurait cherché à atteindre la maîtrise de l'imitation de la voix humaine après qu'elle a mué. C'est-à-dire la maîtrise de la voix basse.
> Évrard Titon du Tillet écrit : « Il perdit sa voix à l'âge de la puberté, comme il arrive souvent. » Il quitte Saint-Germain-l'Auxerrois. Il longe la berge de la Seine. Une magnifique lumière de fin d'été. Il rentre à la cordonnerie.
> Il quitte Saint-Germain-l'Auxerrois. C'est l'église où est entré Malherbe, l'église du chant du sang.
> Il quitte Saint-Germain-l'Auxerrois, suit la rue de l'Arbre-Sec, longe For-l'Évêque, descend sur la rive.
> Il a perdu sa voix. Il a suivi la rue de l'Arbre-Sec. Il longe la berge de la Seine. Il est abandonné de l'enfance.

Pascal Quignard en vient ensuite à «l'épisode qui fait le fond de ces petits bouts d'interrogations ou de scènes que je note — ou de ces énigmes en moi qui m'incitent à les poursuivre et à m'en fasciner» : l'apprentissage auprès de Sainte Colombe et l'anecdote de la cabane sous laquelle l'élève se cache pour entendre les compositions de son maître. Dans la deuxième partie de ce premier chapitre consacré à Marin Marais, Pascal Quignard complète, au fur et à mesure de sa réflexion, ces premiers éléments de biographies par d'autres allant jusqu'à la mort du musicien. Il conclut en revenant encore une fois aux deux noyaux narratifs sur lesquels il n'a cessé de s'arrêter :

> En septembre 1672, jeté hors du chœur d'une église, longeant la berge de la Seine. En septembre 1674 ou 1675, sous une cabane, dans les ronciers et les mûres mûres, noires, s'écrasant comme du sang.

Dans la troisième partie, l'histoire de Marin Marais s'estompe pour céder la place à d'autres références qui permettent à la réflexion de se développer autour des questions de l'écriture, du récit, de la voix et de l'enfance. La quatrième partie revient sur le musicien du XVII⁰ siècle et en particulier sur son œuvre la plus remarquable, *Les voix humaines*, et sur le silence dans lequel il s'enferma à la fin de sa vie.

La leçon de musique insère donc le matériau biographique concernant Marin Marais à l'intérieur d'une parole personnelle, celle de l'auteur, qui soulève des énigmes, crée des ponts historiques, culturels et spéculatifs entre différentes matières, et s'interroge sur ce que peuvent être la musique, l'écriture et la voix. De l'histoire de Marin Marais, Pascal Quignard garde principalement deux noyaux narratifs : Marin Marais exclu de Saint-Germain-l'Auxerrois, Marin Marais caché sous la cabane de Sainte Colombe. Deux éléments qui se retrouvent dans *Tous les matins du monde*.

2.

Tous les matins du monde : réécriture romanesque et réécriture cinématographique

1. *L'écriture romanesque recentrée autour du couple formé par Sainte Colombe et Marin Marais*

Avec *Tous les matins du monde*, Pascal Quignard propose un texte purement narratif, dans lequel le récit se construit d'abord autour de la figure de Sainte Colombe, Marin Marais n'apparaissant qu'au chapitre VIII. Le roman développe tout particulièrement le personnage de Sainte Colombe et son histoire, éléments sur lesquels *La leçon de musique* ne s'attarde pas : la mort de sa femme, sa vie avec ses filles, son approche si particulière de la viole, son isolement. Pascal Quignard invente ce que l'histoire ne dit pas, en rêvant à un XVIIe siècle qu'il construit à partir de ses lectures, de ses connaissances historiques, de son goût pour la peinture de l'époque. Une fois cette figure mise en place, il fait intervenir le jeune Marin Marais et construit une histoire dont le fil narratif est bien celui d'une leçon de musique : Marais veut apprendre les secrets de son maître. Le roman s'appuie sur un certain nombre de ressorts dramatiques connus : la relation d'un élève à son maître, l'apprentissage, l'initiation. S'y ajoute une intrigue secondaire, les amours de Marin Marais avec la fille de Sainte Colombe, Madeleine. Le récit se développe finalement autour de deux figures opposées et complémentaires (le Solitaire face au Mondain, menés tous les deux par une même passion, la musique).

Il est intéressant de remarquer que Pascal Quignard développe dans son récit un élément présent dans *La leçon de musique* qui n'appartient pas à l'histoire de Marin Marais et constitue la troisième partie du livre publié en 1987 : « La dernière leçon de musique de Tch'eng Lien. » Cette très ancienne histoire chinoise raconte de quelle façon le maître de musique, Tch'eng Lien, donna une ultime leçon à Po Ya, qui fut ensuite considéré comme le plus grand musicien du monde. Au début du conte, Tch'eng Lien convoque Po Ya, dont il détruit le luth et la guitare avant de lui dire : « Maintenant, mettez plus de sentiment dans votre façon de jouer de la musique ! » Po Ya commence ensuite à chercher la musique. On retrouve dans cette histoire tout le développement de la relation entre Sainte Colombe et Marin Marais dans *Tous les matins du monde* : la destruction de l'instrument — qui n'est pas ce qui produit la musique —, l'interrogation sur ce que peut être la musique et ce pour quoi on la cherche. Ainsi les chapitres XI et XII de *Tous les matins du monde* qui racontent comment Sainte Colombe entraîne Marin Marais à Paris et lui fait écouter la musique dans le bruit du vent, dans le bruit du pinceau sur la toile, dans la voix des comédiennes déclamant des vers de Racine, dans le bruit de l'urine coulant sur la neige, sont une réécriture d'un des épisodes du conte de Po Ya :

> Tch'eng Lien entraîna Po Ya jusqu'au bourg. Po Ya regardait son maître avec beaucoup de respect mais

son apparence le décontenança. Tout à coup Tch'eng
Lien s'irritait et le faisait taire : il écoutait le vent dans
les branches et il pleurait.

Ils eurent faim. Tch'eng Lien entraîna son disciple
dans un estaminet : il s'immobilisait tout à coup, écoutait le bruit des baguettes de bois se saisissant des fragments de viande grillée ou de la crevette sèche et il
pleurait.

Dans une ruelle proche, il l'entraîna dans une maison
de plaisir. Po Ya avait porté l'ongle par mégarde sur la
cheville d'une prostituée alors qu'il levait ses jambes et
la pénétrait, et lui avait écorché la peau. Cette goutte
de sang, le petit cri de la prostituée, l'oreiller de bois
qui était tombé par terre : Tch'eng Lien pleurait.

Il l'entraîna dans une réunion de lettrés au-delà du
pont du Corbeau. Ils burent beaucoup. Tch'eng Lien
les faisait taire : il écoutait le son du pinceau sur la soie
et il pleurait.

Il l'entraîna en direction d'un ermitage qui était situé
hors du bourg. En route, Tch'eng Lien saisit le bras de
Po Ya. Ils s'immobilisèrent : un enfant, le ventre nu,
urinait sur un remblai de briques rouges. Tch'eng
Lien s'effondra en sanglots.

Comme ils arrivaient au temple, un moine balayait la
cour extérieure du temple : ils s'assirent et écoutèrent
pendant cinq heures le bruit du balai qui ôtait la poussière. Tous deux pleurèrent. Puis Tch'eng Lien se
pencha vers Po Ya et lui souffla à l'oreille :

— Il est temps pour vous de rentrer. Achetez un
instrument qui vous touche chez le luthier impérial.
Demandez quatre taëls d'argent à l'intendant Fu. Dites
à Fu que je rentrerai demain. J'ai trop fait de musique
aujourd'hui. Je vais me laver les oreilles dans le silence.
J'entre dans le temple.

Le roman se construit ainsi par des jeux de reprises,
de développements et de déplacements des éléments
narratifs empruntés à *La leçon de musique*. L'histoire
emprunte à la fois à l'anecdote historique et au conte

chinois pour en faire la matière même du récit, et non plus la matière d'une rêverie spéculative. Le récit change de statut et la parole personnelle disparaît. Mais cela ne signifie pas pour autant que l'interrogation sur la musique n'existe plus. La grande force du roman est de parvenir à l'exprimer différemment, soit par le récit lui-même, soit par la parole des personnages, imitant en cela le fonctionnement caractéristique du conte.

2. *Le scénario : la mise en place d'un récit personnel*

Globalement, on retrouve dans le film les scènes, les dialogues et le déroulement narratif du roman. La grande différence qu'opère le scénario, c'est qu'il remplace la neutralité narrative du roman, dont la narration est impersonnelle, par la mise en place d'un point de vue personnel et rétrospectif sur l'histoire, celui de Marin Marais âgé. Le film s'ouvre sur un plan fixe de six minutes sur le visage de Gérard Depardieu : l'on devine qu'il est à la Cour, vieillissant, entouré de ses élèves ; il essaie de jouer, mais n'y parvient pas. Une voix annonce que Monsieur Marais va donner sa leçon, les volets se ferment, l'obscurité se fait et Marin Marais commence à raconter son histoire et celle de Monsieur de Sainte Colombe. Sa voix demeure, mais le plan change et l'on voit Monsieur de Sainte Colombe qui joue pour Monsieur Vauquelin en train de mourir. Dès lors, tout le récit se fera en voix *off*. Cette voix apparaît et disparaît en fonction des besoins de la narration : parfois elle laisse l'image parler d'elle-même, elle l'accompagne, mais disparaît dans les scènes dialoguées. Ce changement a l'avantage de faire entendre le texte narratif de Pascal Quignard. Mais il conduit également à « psychologiser » ce qui est raconté, à plaquer sur le récit une tonalité quelque peu pathétique, totalement absente du roman (plutôt marqué par une tonalité élégiaque qui s'exprime uniquement par la langue, et non par l'émotion d'une voix personnalisée).

3.

Esquisse d'analyse comparée du film et du roman

Pour mener l'analyse comparative du roman et du film, il faut examiner de quelle façon le texte romanesque est traduit cinématographiquement : image, dialogue, voix *off*, musique. On pourra ainsi saisir quels changements chronologiques le film opère par rapport au roman, mettre en évidence les moments où l'image prend la place du texte, montrer ce que les dialogues conservent et transforment du récit et des descriptions narratives inscrites dans le livre.

1. *Ouverture du livre/ouverture du film : l'invention d'une nouvelle séquence pour amorcer le récit*

Le roman s'ouvre comme une notice biographique prise en cours de route — la mort de Madame de Sainte Colombe étant relatée comme un fait historique. À cette économie narrative et textuelle se substitue dans le film un long plan-séquence fixe d'environ six minutes sur le visage de Marin Marais vieux. Ce sont les autres voix, hors cadre (en *off*), qui nous font comprendre qu'il s'agit de Marin Marais, devenu un maître de

---

musique reconnu. L'image nous donne à voir un homme fatigué, qui a du mal à parler, qui ne parvient plus à jouer lorsqu'on lui donne un instrument et qui finit par pleurer. Le film débute donc par une séquence qui est totalement absente du roman. Marin Marais se met à parler :

> Marin Marais fait sa leçon. Qu'ils s'assoient.
> Il faut fermer les volets. (*On ferme les volets et une semi-obscurité se fait.*)
> Austérité, il n'était qu'austérité et colère. Il était muet comme un poisson. Je suis un imposteur et je ne vaux rien. J'ai ambitionné le néant, j'ai récolté le néant. Du sucre, des louis et la honte. Lui, il était la musique. Il a tout regardé du monde avec la grande flamme du flambeau qu'on allume en mourant. Je ne suis pas venu à bout de son désir. J'avais un maître. (*Musique commence en off.*) Les ombres l'ont pris.

Changement de scène et de plan : Monsieur de Sainte Colombe joue au chevet d'un ami de M. Vauquelin qui est en train de mourir dans son lit. Il joue précisément l'air que l'on a commencé à entendre dans le plan précédent (le réalisateur utilise ce que l'on appelle un raccord-son). La scène va se diviser en trois plans différents : un plan large sur l'ensemble de la chambre avec Sainte Colombe qui joue, un plan serré sur le visage du vieil homme en train de mourir, un plan serré sur le profil de Sainte Colombe en train de jouer.

Le récit continue en voix *off* sur le premier plan : « Il s'appelait Monsieur de Sainte Colombe. » Il reprend sur le troisième plan : « Au printemps de 1650, un après-midi, Monsieur de Sainte Colombe *était au chevet d'un ami de feu Monsieur Vauquelin qui avait souhaité mourir avec un peu de vin de Puisey et de musique.* » (Nous soulignons ce qui est directement repris du roman, p. 8.)

Changement de scène et de plan : plan large sur une maison, la nuit. Une lumière descend des étages vers la porte d'entrée tandis que Monsieur de Sainte Colombe approche de la maison. On entend un simple « Monsieur, Madame… » prononcé par la servante qui tient la lumière. Sainte Colombe entre dans la maison. Sur ce plan la voix *off* : « Ce même après-midi de printemps », *Madame de Sainte Colombe mourut* (p. 7).

Changement de plan : Sainte Colombe entrant dans la chambre où repose sa femme morte. Cette scène dans la chambre se divise en quatre plans : plan 1 serré sur le visage de Sainte Colombe, plan 2 large sur le corps de sa femme sur le lit, plan 3 serré sur le visage de Sainte Colombe, plan 4 serré sur le visage de la morte. Entre les plans 2 et 3, la musique commencée dans la première séquence s'arrête. Pour cette scène, le film s'appuie sur deux phrases extraites du roman (p. 8), phrases qui sont en quelque sorte mises en images : « Monsieur de Sainte Colombe […] s'était retrouvé chez lui passé minuit. Sa femme était déjà revêtue et entourée de cierges et des larmes. Il n'ouvrit pas la bouche […]. »

Changement de scène et de plan : plan 1 large sur la façade et la porte de la demeure de Sainte Colombe. Voix *off* : « Monsieur de Sainte Colombe *ne se consola pas de la mort de son épouse. Il l'aimait* (p. 7) ». Plan 2 : plan plus large sur toute la bâtisse. Voix *off* : « *C'est à cette occasion qu'il composa la Tombeau des Regrets* (p. 7) ». Une nouvelle musique commence.

La description de cette première partie permet de mettre en évidence plusieurs points :

— la place prépondérante de la voix *off* qui réorganise légèrement la chronologie du roman et rompt ainsi avec l'apparente neutralité historique de la biographie,

— la part d'invention visuelle propre au récit filmique qui part d'indications très sommaires données par le texte pour construire des images,

— l'usage de raccords son par le biais de la musique.

2. *Une scène dialoguée : le cauchemar de Toinette*

La séquence s'inspire de la scène décrite dans le roman sur le mode itératif (une scène qui se répète régulièrement), p. 11-12 : « Quand il entendait pleurer durant la nuit, il lui arrivait de monter la chandelle à la main à l'étage et, agenouillé entre ses deux filles, de chanter. »

Plan 1 : plan serré un visage d'enfant (Toinette) qui se dresse dans la pénombre, précédé d'un cri (entendu à la fin de la scène et du plan précédents).

Plan 2 : plan serré sur le visage de Madeleine dans son lit.

Plan 3 : plan large sur Sainte Colombe entrant avec une bougie, s'asseyant sur le rebord du lit de Toinette et essayant de la rassurer en chantonnant.

Plan 4 : plan moyen en contre-plongée sur Sainte Colombe assis sur le rebord du lit de Toinette et la regardant. Il chantonne.

Toinette : Où est maman ?

Sainte Colombe : Il faut que vous soyez bonnes, il faut que vous soyez travailleuses.

Plan 5 : retour à la valeur du plan 3 :

Sainte Colombe, *se levant et retournant vers la porte* : J'ai le regret de votre mère, c'était un morceau de joie.

Plan 6 : plan serré sur le visage de Madeleine contre son oreiller.

Sainte Colombe (*hors cadre*) : Je ne m'entends guère à parler. Votre mère, elle, savait parler…

Plan 7 : plan moyen sur Sainte Colombe (visage et buste).

Sainte Colombe : … et savait rire. Moi, je n'ai pas de plaisir dans le langage, ni dans la compagnie des gens, ni dans la compagnie des livres. Mais je vous aime toutes les deux. Et voilà qui suffit (*il s'en va et ferme la porte*).

Le découpage en différents plans de différentes valeurs met en scène le récit. Il crée une scène à partir des rares indications données par le roman. Il simplifie la chronologie itérative pour réunir en une seule séquence des éléments donnés comme séparés dans le temps. L'écriture cinématographique repose sur un procédé double et contradictoire de condensation et de développement du texte romanesque. C'est ce que montre la comparaison entre le découpage que nous venons de faire et le texte du roman qui lui correspond :

> Un jour, il leur dit :
> « Il faut que vous soyez bonnes. Il faut que vous soyez travailleuses. Je suis content de vous deux, surtout de Madeleine, qui est plus sage. J'ai le regret de votre mère. Chacun des souvenirs que j'ai gardés de mon épouse est un morceau de joie que je ne retrouverai jamais. »
> Il s'excusa une autre fois auprès d'elles de ce qu'il ne s'entendait guère à parler ; que leur mère, quant à elle, savait parler et rire ; que pour ce qui le concernait il n'avait guère d'attachement pour le langage et qu'il ne prenait de plaisir ni dans la compagnie des gens, ni dans celle des livres et des discours.

Ces deux exemples permettent de saisir certains des enjeux de l'adaptation du roman au cinéma. En poursuivant un tel travail sur plusieurs séquences, on verrait à la fois les points de réunion et les points de rupture inconciliables entre langage cinématographique et langage romanesque.

Pour prolonger la réflexion

Alain CORNEAU, *Tous les matins du monde*, DVD, Gallimard-Studio Canal, «Folio cinéma», 2007.

Pascal QUIGNARD, *La leçon de musique*, Hachette, 1987, «Folio» nº 3767; «Une scène de roman supprimée au début de *Tous les matins du monde*», dans *Les Paradisiaques, Dernier royaume, IV*, Grasset, 2005, «Folio» nº 4516.

Évrard TITON DU TILLET, *Vies des Musiciens et autres Joueurs d'Instruments du règne de Louis Le Grand*, 1755, texte établi par Marie-Françoise Quignard, Gallimard, «Le Promeneur», 1991.

Groupement de textes

La musique
comme puissance d'enchantement

« IL N'Y A DE RÉEL DANS LA MUSIQUE que l'état où elle laisse l'âme », écrit Stendhal dans la *Vie de Rossini*. Dans *Tous les matins du monde* s'élabore à travers le récit un questionnement continu sur les rapports de la musique et de l'âme : en jouant de la viole, Monsieur de Sainte Colombe peut rappeler l'âme de sa femme défunte ; Madeleine demande, avant de mourir, à entendre *La Rêveuse*, cette pièce que lui a composée Marin Marais quand il l'aimait. La musique touche l'âme, elle provoque un obscur sentiment de plénitude et de manque : lorsque Sainte Colombe et Marin Marais jouent ensemble à la fin du récit, ils laissent couler leurs larmes tout en échangeant un sourire.

La musique, qui occupe une place centrale dans toute l'œuvre de Pascal Quignard, lui-même musicien, est traditionnellement liée à l'âme aussi bien dans la mythologie que dans la philosophie ou la théorie musicale (classique ou romantique). Le pouvoir d'« enchantement » de la musique est double : les voix des Sirènes entraînent les hommes vers leur mort (comme le rappelle Pascal Quignard dans l'un de ses derniers textes, *Boutès*, publié en 2008), tandis que la lyre d'Orphée lui

permet de charmer la nature tout entière et de faire
fléchir les dieux des Enfers. Dans *La République*, Platon
dit que la musique « pénètre à l'intérieur de l'âme » et
« s'empare d'elle de la façon la plus énergique ». Ce
pouvoir peut la rendre dangereuse, voilà pourquoi
musiciens et poètes sont repoussés hors de la cité idéale.
La littérature n'a cessé de mettre en évidence et de
décrypter cet étrange pouvoir que la musique exerce
sur l'âme (et sur les corps).

OVIDE (43 av. J.-C.-17 ap. J.-C.)

Les Métamorphoses (Livre X)

(Traduction de Georges Lafaye,
« Folioplus classiques »)

*La figure mythologique d'Orphée est à la fois celle du
musicien et celle du poète. Chaque époque a su réinvestir le
mythe pour lui donner une signification différente, mais en
faisant constamment retour sur ce que l'histoire du chanteur-
poète révélait des pouvoirs conférés à celui qui maîtrise la
lyre : pouvoir de communication avec le royaume des morts,
pouvoir d'apaisement et de séduction, force émotive. Le récit
de* Tous les matins du monde *porte la trace de ce récit
mythologique. Les apparitions de Madame de Sainte Colombe
revenant pour quelques instants du royaume des morts en
sont le signe.*

*Le poète latin Ovide place la légende d'Orphée parmi les
autres histoires qui composent ses* Métamorphoses. *Repre-
nant et développant le récit tel qu'il apparaît déjà chez les
Grecs, il se concentre sur le voyage d'Orphée aux Enfers pour
tenter d'en ramener sa jeune épouse, Eurydice, morte pré-
maturément.*

Tandis que la nouvelle épousée, accompagnée d'une
troupe de Naïades, se promenait au milieu des her-
bages, elle périt, blessée au talon par la dent d'un

serpent. Lorsque le chantre du Rhodope[1] l'eut assez pleurée à la surface de la terre, il voulut explorer même le séjour des ombres; il osa descendre par la porte du Ténare[2] jusqu'au Styx; passant au milieu des peuples légers et des fantômes qui ont reçu les honneurs de la sépulture, il aborda Perséphone et le maître du lugubre royaume, le souverain des ombres; après avoir préludé en frappant les cordes de sa lyre, il chanta ainsi : «Ô divinités de ce monde souterrain où retombent toutes les créatures mortelles de notre espèce, s'il est possible, si vous permettez que, laissant là les détours d'un langage artificieux, je dise la vérité, je ne suis pas descendu en ces lieux pour voir le téné-breux Tartare[3] ni pour enchaîner par ses trois gorges, hérissées de serpents, le monstre qu'enfanta Méduse[4]; je suis venu chercher ici mon épouse; une vipère, qu'elle avait foulée du pied, lui a injecté son venin et l'a fait périr à la fleur de l'âge. J'ai voulu pouvoir supporter mon malheur et je l'ai tenté, je ne le nierai pas; l'Amour a triomphé. C'est un dieu bien connu dans les régions supérieures; l'est-il de même ici? Je ne sais; pourtant je suppose qu'ici aussi il a sa place et, si l'antique enlèvement dont on parle n'est pas une fable, vous aussi, vous avez été unis[5] par l'Amour. Par ces lieux pleins d'épouvante, par cet immense Chaos, par ce vaste et silencieux royaume, je vous en conjure, défaites la trame, trop tôt terminée, du destin d'Eu-rydice. Il n'est rien qui ne vous soit dû; après une courte halte, un peu plus tard, un peu plus tôt, nous nous hâtons vers le même séjour. C'est ici que nous tendons tous; ici est notre dernière demeure; c'est

---

1. Massif montagneux de Thrace d'où Orphée est originaire.
2. Le cap Ténare était considéré par les Anciens comme une des entrées des Enfers, une caverne se trouvant à son extrémité.
3. Région la plus profonde des Enfers, où l'on expie ses fautes (c'est là que furent enfermés les Titans).
4. Il s'agit de Cerbère, chien à trois têtes qui garde l'entrée des Enfers.
5. Hadès enleva Perséphone par amour.

vous qui régnez le plus longtemps sur le genre humain.
Elle aussi, quand mûre pour la tombe, elle aura accom-
pli une existence d'une juste mesure, elle sera soumise
à vos lois ; je ne demande pas un don, mais un usufruit.
Si les destins me refusent cette faveur pour mon
épouse, je suis résolu à ne point revenir sur mes pas ;
réjouissez-vous de nous voir succomber tous les deux. »
Tandis qu'il exhalait ces plaintes, qu'il accompagnait
en faisant vibrer les cordes, les ombres exsangues pleuraient : Tantale cessa de poursuivre l'eau fugitive[1] ;
la roue d'Ixion s'arrêta[2] ; les oiseaux oublièrent de
déchirer le foie de leur victime[3], les petites-filles de
Bélus[4] laissèrent là leurs urnes, et toi, Sisyphe, tu t'assis
sur ton rocher[5]. Alors pour la première fois des larmes
mouillèrent, dit-on, les joues des Euménides[6], vaincues
par ces accents ; ni l'épouse du souverain, ni le dieu
qui gouverne les Enfers ne peuvent résister à une telle
prière ; ils appellent Eurydice : elle était là, parmi
les ombres récemment arrivées ; elle s'avance d'un
pas que ralentissait sa blessure. Orphée du Rhodope
obtient qu'elle lui soit rendue, à la condition, qu'il ne
jettera pas les yeux derrière lui, avant d'être sorti des
vallées de l'Averne[7] ; sinon, la faveur sera sans effet. Ils
prennent, au milieu d'un profond silence, un sen-
tier en pente, escarpé, obscur, enveloppé d'un épais
brouillard. Ils n'étaient pas loin d'atteindre la surface

---

1. L'un des trois supplices auxquels Tantale fut condamné : placé
au milieu d'un fleuve, il voit l'eau se tarir dès qu'il se penche pour en
boire.

2. Ixion avait été condamné à être accroché à une roue enflammée
qui ne cessait de tourner.

3. Prométhée fut condamné à se faire dévorer le foie indéfiniment.

4. Il s'agit des Danaïdes condamnées à remplir sans fin des ton-
neaux sans fond.

5. Sisyphe avait été condamné à pousser une pierre en haut d'une
colline qui ne cessait de redescendre une fois arrivée en haut de la
pente.

6. Déesses particulièrement redoutées.

7. Le lac d'Averne, situé en Sicile, est considéré par les Anciens
comme une des entrées menant aux Enfers.

de la terre, ils touchaient au bord, lorsque, craignant qu'Eurydice ne lui échappe et impatient de la voir, son amoureux époux tourne les yeux et aussitôt elle est entraînée en arrière ; elle tend les bras, elle cherche son étreinte et veut l'étreindre elle-même ; l'infortunée ne saisit que l'air impalpable. En mourant pour la seconde fois, elle ne se plaint pas de son époux (de quoi en effet se plaindrait-elle sinon d'être aimée ?) ; elle lui adresse un adieu suprême, qui déjà ne peut qu'à peine parvenir jusqu'à ses oreilles, et elle retombe à l'abîme d'où elle sortait.

Julie de LESPINASSE (1732-1776)

Lettres à M. de Guibert (1774)

(*in Lettres*, La Table ronde)

Le XVIIe siècle a développé toute une théorie musicale en lien avec les passions de l'âme. Le siècle suivant a poursuivi cette réflexion en faisant de la musique le lieu d'expression d'une des apparentes contradictions du siècle des Lumières, qui fut à la fois le siècle de la Raison et celui de la Sensibilité. La querelle des Bouffons, qui oppose Jean-Philippe Rameau et Jean-Jacques Rousseau, révèle l'opposition entre deux esthétiques, celle de la musique française face à celle de la musique italienne. Mais elle révèle également cette nature contradictoire de l'œuvre musicale qui tient à la fois d'une composition mathématique et d'une expression sensible étrangère aux catégories de l'entendement.

Julie de Lespinasse, femme de lettres dont le salon eut une importance décisive dans la vie intellectuelle de la seconde moitié du siècle, représente parfaitement cette dualité : devenue, en quelque sorte, l'égérie des Encyclopédistes, elle était capable de participer avec pertinence aux débats artistiques, philosophiques et politiques de son temps, mais sa correspondance révèle également une sensibilité préromantique, mélancolique, traversée par les émotions les plus vives. Tombée amoureuse de M. de Guibert, qui ne répondra jamais à son

*amour, elle lui adresse de nombreuses lettres dans lesquelles
elle lui livre « ses états d'âme ». Dans les extraits qui suivent,
on peut lire comment la musique de l'opéra de Gluck,* Orphée
et Eurydice, *la « console » de son désespoir amoureux tout
en semblant l'exprimer.*

Commencée jeudi, 22 septembre 1774.

[...] J'ai retrouvé le calme, mais je ne m'y trompe
point : c'est le calme de la mort ; et dans quelque
temps, si je vis, je pourrai dire comme cet homme qui
vivait seul depuis trente ans, et qui n'avait lu que
Plutarque ; on lui demandait comment il se trouvait :
mais presque aussi heureux que si j'étais mort. Mon
ami, voilà ma disposition : rien de ce que je vois, de ce
que j'entends, ni de ce que je fais, ni de ce que j'ai à
faire, ne peut animer mon âme d'un mouvement d'intérêt ; cette manière d'exister m'était tout à fait inconnue ; il n'y a qu'une chose dans le monde qui me fasse
du bien, c'est la musique : mais c'est un bien qu'un
autre appellerait douleur. Je voudrais entendre dix
fois par jour cet air qui me déchire, et qui me fait jouir
de tout ce que je regrette : j'ai perdu mon Eurydice[1],
etc. Je vais sans cesse à *Orphée*, et j'y suis seule. Mardi
encore, j'ai dit à mes amis que j'allais faire des visites,
et j'ai été m'enfermer dans une loge [...] (Lettre 52).

Vendredi au soir, 14 octobre 1774.

Mon ami, je sors d'*Orphée* : il a amolli, il a calmé mon
âme. J'ai répandu des larmes, mais elles étaient sans
amertume : ma douleur était douce, mes regrets
étaient mêlés de votre souvenir ; ma pensée s'y arrêtait
sans remords. Je pleurais ce que j'ai perdu, et je vous
aimais ; mon cœur suffisait à tout. Oh ! Quel art char-
mant ! Quel art divin ! La musique a été inventée par
un homme sensible, qui avait à consoler des malheu-
reux. Quel baume bienfaisant que ces sons enchanteurs ! Mon ami, dans les maux incurables, il ne faut

---

1. Air extrait de l'opéra de Gluck, *Orphée et Eurydice*, créé en 1762
en Italie, puis en 1774 à Paris en français.

chercher que des calmants ; et il n'y en a que de trois
espèces pour mon cœur, dans la nature entière : vous,
d'abord, mon ami, vous le plus efficace de tous, vous
qui m'enlevez à ma douleur, qui faites pénétrer dans
mon âme une sorte d'ivresse qui m'ôte la faculté de
me souvenir et de prévoir. Après ce premier de tous
les biens, ce que je chéris comme le soutien et la res-
source du désespoir, c'est l'opium : il ne m'est pas
cher d'une manière sensible, mais il m'est nécessaire.
Enfin ce qui m'est agréable, ce qui charme mes maux,
c'est la musique : elle répand dans mon sang, dans
tout ce qui m'anime une douceur et une sensibilité si
délicieuses, que je dirais presque qu'elle me fait jouir
de mes regrets et de mon malheur ; et cela est si vrai,
que, dans les temps les plus heureux de ma vie, la
musique n'avait pas pour moi un tel prix. Mon ami,
avant votre départ, je n'avais point été à *Orphée* ; je
n'en avais pas eu besoin : je vous voyais, je vous avais
vu, je vous attendais, cela remplissait tout ; mais dans le
vide où je suis tombée, dans les différents accès de
désespoir qui ont agité et bouleversé mon âme, je me
suis aidée de toutes mes ressources. Qu'elles sont
faibles ! Qu'elles sont impuissantes contre le poison
qui consume ma vie ! [...] (Lettre 60).

E. T. A HOFFMANN (1776-1822)

« Le Violon de Crémone » (1811-1813)

Contes fantastiques

(Traduction de Loève-Veimars, GF)

*Figure importante du romantisme allemand, Hoffmann a
écrit de nombreux contes fantastiques dans lesquels se révèlent
les secrets cachés de l'âme humaine, ses angoisses et ses obses-
sions. Dans « Le Violon de Crémone », le narrateur raconte
l'histoire du conseiller Crespel, homme fantasque, amateur de
musique, collectionneur de violons, père d'une jeune fille,*

Antonie, qu'il a eue avec une grande cantatrice. Le narrateur s'étonne que le conseiller ne veuille pas l'exposer davantage au monde et refuse systématiquement qu'elle chante, alors qu'elle possède une voix extraordinaire. Crespel finit par lui révéler la vérité : chaque note qu'elle pousse la conduit à la mort. L'extrait qui suit se situe à la toute fin de la nouvelle. On voit comment Hoffmann réinvestit le caractère magique de la musique en faisant du chant une puissance qui conduit à la fois à l'extase et à la mort.

— Je ne veux plus chanter, mais vivre pour toi, disait-elle souvent à son père, lorsque quelqu'un la priait de se faire entendre. Le conseiller cherchait toujours à éviter de semblables propositions ; aussi ne la menait-il qu'avec déplaisir au milieu du monde, et évitait-il toujours les maisons où on faisait de la musique : il savait combien il était douloureux pour Antonie de renoncer à l'art qu'elle avait porté à une si haute perfection. Lorsqu'il eut acheté le magnifique violon qu'il ensevelit avec elle, il se disposait à le mettre en pièces ; mais Antonie regarda l'instrument avec intérêt, et dit d'un air de tristesse : Celui-là aussi ? — Le conseiller ne pouvait lui-même définir quelle puissance l'empêchait de détruire ce violon et le forçait d'en jouer. À peine en eut-il fait sortir les premiers sons, qu'Antonie s'écria avec joie : — Ah ! Je me retrouve… Je chante de nouveau ! — En effet les sons argentins de l'instrument semblaient sortir d'une poitrine humaine. Crespel fut ému jusqu'au fond de l'âme ; il joua avec plus d'expression que jamais ; et, lorsqu'il détachait des sons tendres et hardis, Antonie battait des mains et s'écriait avec ravissement : Ah ! que j'ai bien fait cela ! — Depuis ce moment, une sérénité extrême se répandit sur sa vie. Souvent elle disait au conseiller : — Je voudrais bien chanter quelque chose, mon père ! — Crespel détachait le violon de la muraille, et jouait tous les airs d'Antonie ! On la voyait alors s'épanouir de bonheur. — Peu de temps avant mon retour, le conseiller crut entendre, pendant la nuit, jouer sur son piano dans la chambre voisine, et bientôt il reconnut distinctement la manière de préluder du jeune compositeur. Il voulut se lever, mais il lui sembla que des liens de plomb le retenaient immobile. Bientôt il entendit la voix d'Antonie ; elle chanta d'abord doucement en accords aériens qui s'élevèrent jusqu'au *fortissimo* le plus retentissant ; puis les sons devinrent plus graves, et elle commença un chant sacré à la manière des anciens maîtres, que le jeune compositeur avait autrefois fait pour elle. Crespel me dit que l'état où il se trouvait était incroyable, car l'effroi le plus horrible s'unissait en lui au ravissement le plus délicieux. Tout à coup il se sentit ébloui par une vive clarté ; et il aperçut Antonie et son fiancé qui se tenaient embrassés et se regardaient tendrement. Le chant continua ainsi que les accords du piano, et Antonie ne chantait pas, et le jeune homme ne touchait pas le clavier. Le conseiller tomba dans un évanouissement profond. En se réveillant, il lui resta le souvenir de son rêve. Il courut à la chambre d'Antonie. Elle était étendue sur le sopha, les yeux fermés et le sourire aux lèvres. Il semblait qu'elle dormît et qu'elle fût bercée par des rêves de bonheur. — Mais elle était morte.

Gustave FLAUBERT (1821-1880)

Madame Bovary (1857)

(« Folioplus classiques »)

Dans Madame Bovary, *Flaubert décrit les états d'âme d'une femme que ses lectures conduisent à l'insatisfaction permanente et finalement au suicide. S'en prenant avec ironie aux clichés véhiculés par le romanesque romantique pour en montrer la force mortifère, il se moque et compatit en même temps au destin de son héroïne. Dans l'extrait qui suit, Emma Bovary assiste à l'opéra à une représentation de* Lucia di Lammermoor *de Donizetti. Elle est accompagnée de son mari, Charles, dont le bon sens terrien reste hermétique à toute*

forme d'art comme à toute sentimentalité. Flaubert s'amuse à
mettre en évidence les artifices sentimentaux de l'opéra et son
kitsch scénique pour montrer à quel point l'engouement
ressenti par Emma est ridicule et pathétique. La musique
n'est plus ici que l'expression d'une sentimentalité niaise. Mis
en regard des lettres de Mlle de Lespinasse, cet extrait apparaît
clairement comme une réécriture ironique des débordements
émotionnels de l'époque romantique.

Cependant, les bougies de l'orchestre s'allumèrent; le
lustre descendit du plafond, versant, avec le rayonnement de ses facettes, une gaieté subite dans la salle;
puis les musiciens entrèrent les uns après les autres, et
ce fut d'abord un long charivari de basses ronflant, de
violons grinçant, de pistons trompettant, de flûtes et
de flageolets[1] qui piaulaient[2]. Mais on entendit trois
coups sur la scène; un roulement de timbales commença, les instruments de cuivre plaquèrent des accords,
et le rideau, se levant, découvrit un paysage. C'était le
carrefour d'un bois, avec une fontaine, à gauche,
ombragée par un chêne. Des paysans et des seigneurs,
le plaid sur l'épaule, chantaient tous ensemble une
chanson de chasse; puis il survint un capitaine qui
invoquait l'ange du mal en levant au ciel ses deux
bras; un autre parut; ils s'en allèrent, et les chasseurs
reprirent.

Elle se retrouvait dans les lectures de sa jeunesse, en
plein Walter Scott[3]. Il lui semblait entendre, à travers le brouillard, le son des cornemuses écossaises
se répéter sur les bruyères. D'ailleurs, le souvenir du
roman facilitant l'intelligence du libretto, elle suivait
l'intrigue phrase à phrase, tandis que d'insaisissables
pensées qui lui revenaient, se dispersaient, aussitôt,

---

1. Sortes de flûtes.
2. Piauler : produire des sons aigus (comme un petit enfant ou un
animal).
3. Auteur écossais, poète et romancier. Il est surtout connu pour
ses romans historiques (dont *Ivanhoé*).

sous les rafales de la musique. Elle se laissait aller au bercement des mélodies et se sentait elle-même vibrer de tout son être comme si les archets des violons se fussent promenés sur ses nerfs. Elle n'avait pas assez d'yeux pour contempler les costumes, les décors, les personnages, les arbres peints qui tremblaient quand on marchait, et les toques de velours, les manteaux, les épées, toutes ces imaginations qui s'agitaient dans l'harmonie comme dans l'atmosphère d'un autre monde. Mais une jeune femme s'avança en jetant une bourse à un écuyer vert. Elle resta seule, et alors on entendit une flûte qui faisait comme un murmure de fontaine ou comme des gazouillements d'oiseau. Lucie entama d'un air brave sa cavatine[1] en sol majeur ; elle se plaignait d'amour, elle demandait des ailes. Emma, de même, aurait voulu, fuyant la vie, s'envoler dans une étreinte. Tout à coup, Edgar-Lagardy parut. Il avait une de ces pâleurs splendides qui donnent quelque chose de la majesté des marbres aux races ardentes du Midi. Sa taille vigoureuse était prise dans un pourpoint de couleur brune ; un petit poignard ciselé lui battait sur la cuisse gauche, et il roulait des regards langoureusement en découvrant ses dents blanches. On disait qu'une princesse polonaise, l'écoutant un soir chanter sur la plage de Biarritz, où il radoubait des chaloupes, en était devenue amoureuse. Elle s'était ruinée à cause de lui. Il l'avait plantée là pour d'autres femmes, et cette célébrité sentimentale ne laissait pas que de servir à sa réputation artistique. Le cabotin diplomate avait même soin de faire toujours glisser dans les réclames une phrase poétique sur la fascination de sa personne et la sensibilité de son âme. Un bel organe, un imperturbable aplomb, plus de tempérament que d'intelligence et plus d'emphase que de lyrisme, achevaient de rehausser cette admirable nature de charlatan, où il y avait du coiffeur et du toréador.

---

1. Courte pièce de chant pour une seule voix.

Dès la première scène, il enthousiasma. Il pressait Lucie dans ses bras, il la quittait, il revenait, il semblait désespéré : il avait des éclats de colère, puis des râles élégiaques d'une douceur infinie, et les notes s'échappaient de son cou nu, pleines de sanglots et de baisers. Emma se penchait pour le voir, égratignant avec ses ongles le velours de sa loge. Elle s'emplissait le cœur de ces lamentations mélodieuses qui se traînaient à l'accompagnement des contrebasses, comme des cris de naufragés dans le tumulte d'une tempête. Elle reconnaissait tous les enivrements et les angoisses dont elle avait manqué mourir. La voix de la chanteuse ne lui semblait être que le retentissement de sa conscience, et cette illusion qui la charmait quelque chose même de sa vie. Mais personne sur la terre ne l'avait aimée d'un pareil amour. Il ne pleurait pas comme Edgar, le dernier soir, au clair de lune, lorsqu'ils se disaient : « À demain ; à demain !… » La salle craquait sous les bravos ; on recommença la strette[1] entière ; les amoureux parlaient des fleurs de leur tombe, de serments, d'exil, de fatalité, d'espérances, et quand ils poussèrent l'adieu final, Emma jeta un cri aigu, qui se confondit avec la vibration des derniers accords.

Marcel PROUST (1871-1922)

Du côté de chez Swann (1913)

(« Quarto »)

Dans Du côté de chez Swann, *Proust raconte l'histoire d'un amour, celui de Swann avec Odette de Crécy, de sa naissance jusqu'à sa mort. Cet amour est marqué dans ces débuts par une musique entendue dans le salon des Verdurin, la sonate de Vinteuil. Se sentant méprisé par Odette, devenu*

---

1. La strette désigne la partie d'une fugue précédant la conclusion et au cours de laquelle les différentes voix entrent de manière rapprochée.

jaloux, exclu du salon des Verdurin, Swann se retrouve chez
Mme de Saint-Euvrette où il entend tout à coup « la petite
phrase » de la sonate de Vinteuil, qui était devenue « l'air
national de leur amour ». Cette petite phrase recrée alors « les
états d'âme les plus incommunicables ». Elle fait apparaître
Odette, comme au début de leur amour, et avec elle tous les
souvenirs de bonheur qui lui sont liés. Proust révèle ainsi les
pouvoirs enchanteurs de la musique, qui touche à l'âme, qui
provoque une délicieuse douleur en faisant revivre une chose
que l'on sait définitivement perdue.

Mais le concert recommença et Swann comprit qu'il
ne pourrait pas s'en aller avant la fin de ce nouveau
numéro du programme. Il souffrait de rester enfermé
au milieu de ces gens dont la bêtise et les ridicules le
frappaient d'autant plus douloureusement qu'ignorant
son amour, incapables, s'ils l'avaient connu, de s'y
intéresser et de faire autre chose que d'en sourire
comme d'un enfantillage ou de le déplorer comme
une folie, ils le lui faisaient apparaître sous l'aspect
d'un état subjectif qui n'existait que pour lui, dont
rien d'extérieur ne lui affirmait la réalité ; il souffrait
surtout, et au point que même le son des instruments
lui donnait envie de crier, de prolonger son exil dans
ce lieu où Odette ne viendrait jamais, où personne, où
rien ne la connaissait, d'où elle était entièrement
absente.
Mais tout à coup ce fut comme si elle était entrée, et
cette apparition lui fut une si déchirante souffrance
qu'il dut porter la main à son cœur. C'est que le violon
était monté à des notes hautes où il restait comme
pour une attente, une attente qui se prolongeait sans
qu'il cessât de les tenir, dans l'exaltation où il était
d'apercevoir déjà l'objet de son attente qui s'approchait, et avec un effort désespéré pour tâcher de durer
jusqu'à son arrivée, de l'accueillir avant d'expirer, de
lui maintenir encore un moment de toutes ses der-
nières forces le chemin ouvert pour qu'il pût passer,
comme on soutient une porte qui sans cela retom-
berait. Et avant que Swann eût le temps de comprendre,

et de se dire : « C'est la petite phrase de la sonate de Vinteuil, n'écoutons pas ! » tous les souvenirs du temps où Odette était éprise de lui, et qu'il avait réussi jusqu'à ce jour à maintenir invisibles dans les profondeurs de son être, trompés par ce brusque rayon du temps d'amour qu'ils crurent revenu, s'étaient réveillés et, à tire-d'aile, étaient remontés lui chanter éperdument, sans pitié pour son infortune présente, les refrains oubliés du bonheur.

Au lieu des expressions abstraites « temps où j'étais heureux », « temps où j'étais aimé », qu'il avait souvent prononcées jusque-là et sans trop souffrir, car son intelligence n'y avait enfermé du passé que de prétendus extraits qui n'en conservaient rien, il retrouva tout ce qui de ce bonheur perdu avait fixé à jamais la spécifique et volatile essence ; il revit tout, les pétales neigeux et frisés du chrysanthème qu'elle lui avait jeté dans sa voiture, qu'il avait gardé contre ses lèvres — l'adresse en relief de la « Maison Dorée[1] » sur la lettre où il avait lu : « Ma main tremble si fort en vous écrivant » — le rapprochement de ses sourcils quand elle lui avait dit d'un air suppliant : « Ce n'est pas dans trop longtemps que vous me ferez signe ? »

Julien GRACQ (1910-2007)

Au château d'Argol (1938)

(Éditions José Corti)

Dans le roman Au château d'Argol, *qui peut encore être considéré comme une œuvre de jeunesse, Julien Gracq met en place un cadre narratif très simple : Albert, venu s'installer dans un étrange château, perdu dans la nature, reçoit son ami Herminien et la jeune Heide. Marquée par les expériences surréalistes, davantage soucieuse d'éclairer les secrets mouve-*

---

1. Restaurant en vogue situé sur les Grands Boulevards à Paris.

ments de l'âme que de raconter une histoire, l'écriture de
Gracq se fait avant tout descriptive et cherche les liens incons-
cients et profonds qui se tissent entre notre esprit et un lieu,
un paysage, un élément naturel. Dans l'extrait qui suit, les
deux héros masculins viennent de pénétrer dans une chapelle.
Herminien se met à improviser sur l'orgue. La musique qui se
met à résonner dans le lieu vide révèle les puissances obscures
qui agitent le monde et les âmes, les « champs magnétiques »
qui relient secrètement toutes choses.

Alors, du fond de son inquiétude un son s'éleva, qui
parut emplir en un instant la chapelle et ruisseler le
long des murs luisants d'eau, et Albert, sans oser se
retourner, tellement cet accord le confondait par son
ampleur inouïe, devina qu'Herminien, pendant son
exploration silencieuse, avait gravi les degrés de pierre
d'un orgue qui s'élevait dans l'obscurité à gauche de
la porte et occupait une partie considérable de la chapelle, mais de l'examen duquel avaient dû le distraire
aussitôt les effets séduisants de l'éclairage. Le jeu
d'Herminien était empreint d'une force singulière, et
telle était sa puissance d'expression qu'Albert put
deviner comme s'il avait lu au plus profond de son
âme les thèmes qui se succédèrent dans cette sauvage
improvisation. Il lui sembla d'abord qu'Herminien,
après des touches dissonantes et incertaines, coupées
de retours et de replis où le motif principal était repris
dans un mode plus timide et comme interrogatif, ne
fît autre chose que de prendre la mesure du volume
même et de la capacité sonore de ce troublant édifice.
Alors se déchaînèrent des ondes violentes comme la
forêt et libres comme les vents de l'altitude, et l'*orage*
qu'Albert avait contemplé avec un sentiment d'horreur
du haut des terrasses du château éclata du fond de ces
mystiques abîmes, au-dessus desquels des sons d'une
pureté cristalline, égrenés en un surprenant et hésitant
descrescendo, flottèrent comme une buée sonore traversée des éclats jaunes du soleil et rejoignirent curieu-
sement le rythme des gouttes d'eau qui tombaient
de la voûte. À ces jeux de la nature succédèrent les

atteintes d'une passion sensuelle et aiguë, et l'artiste
peignit avec vérité ses ardeurs sauvages : Heide flotta
dans l'altitude à la façon d'un brouillard lumineux,
s'éclipsa, puis revint, et établit son empire sur des
houles mélodiques d'une rare ampleur qui parais-
saient emporter les sens vers une région inconnue et
rendre à l'oreille les grâces du toucher et de la vue par
l'entremise d'une incroyable perversion. Cependant,
quoique l'artiste donnât déjà la pleine mesure d'une
passion frémissante et incoercible, il paraissait dès lors
à Albert sensible qu'il recherchât dans la plénitude
même de son jeu, dont les arabesques bizarres conser-
vèrent le caractère encore indécis d'une *tentative*, la
clé d'une élévation encore supérieure, l'appui nécessaire à un dernier bond dont les conséquences entièrement décisives fussent à la fois et singulièrement
pressenties et imprévisibles, et qu'il hésitât sur le bord
même de cet abîme dont il décrivait les approches
glorieuses, avec des grâces enveloppantes et insensées.
Visiblement maintenant — et la conscience s'en faisait
à chaque instant plus claire pour Albert — il cherchait *l'angle d'incidence* unique sous lequel le tympan,
dépourvu de sa puissance d'arrêt et de diffusion, se
ferait perméable comme le pur cristal et convertirait
le corps de chair et de sang en une sorte de *prisme
à réflexion totale* où le son s'accumulât au lieu de le
traverser et irriguât le cœur avec la même liberté que
le milieu sanguin, rendant ainsi au mot profané d'*extase*
sa véritable signification. Une vibration sonore de
plus en plus concentrée paraissait le signe extérieur
de la sombre ardeur de cette recherche, et se posait
sur toute chose en *foisonnant* à profusion comme un
essaim soudain disloqué. Enfin une note tenue avec
une constance merveilleuse éclata dans une inouïe
splendeur et, prenant appui sur elle comme sur une
plage sonore, s'éleva une phrase d'une indicible
beauté. Et, plus haut que tout, dans une lumière jaune
et douce qui parut accompagner dans la chapelle la
descente d'une grâce sublime accordée à la prière,

résonna sous les doigts d'Herminien, comme parcourus d'une chaleur légère et dévorante, le *chant de la fraternité virile.* Et la fin du souffle qui se retirait de la poitrine à mesure qu'il s'élevait vers des hauteurs incroyables laissa derrière lui monter dans le corps entièrement vacant le flux salubre d'une mer libre et légère comme la nuit.

Chronologie

Pascal Quignard et son temps

1.

Une jeunesse au milieu des livres
et de la musique
(1948-1969)

1. *Une enfance au Havre (1948-1959)*

Pascal Quignard est né le 23 avril 1948 à Verneuil-sur-Havre en Normandie. Il est le cadet de quatre enfants. Ses parents étaient tous les deux professeurs de lettres classiques et avaient grandi dans des familles où la musique et la littérature occupaient une place de choix. En effet, son père est issu d'une lignée d'organistes, originaire du Wurtemberg et d'Alsace, tandis que sa mère a pour parents des linguistes reconnus, professeurs à la Sorbonne. Pascal Quignard passe ainsi son enfance au milieu des livres, des dictionnaires et de la musique, dans le décor d'une ville dévastée par la guerre, Le Havre. Dans son livre d'entretiens avec Chantal Lapeyre-Desmaison, il définit son éducation comme « grammaticale, sévère, classique et catholique ».

2. *Les années de formation : musique, peinture et sciences humaines (1959-1968)*

En 1959, Pascal Quignard déménage avec toute sa famille à Sèvres, dans la banlieue parisienne. Ses parents travaillent désormais au lycée expérimental, dont son père devient proviseur et dans lequel sa mère fonde une école internationale bilingue (franco-américaine). Il vit dans l'environnement grandiose du parc au sein duquel se situent le lycée et l'appartement de fonction de ses parents. Au fond de ce parc se trouve le pavillon Lully, que le musicien de Louis XIV avait fait construire à la fin de sa vie. « La musique baroque s'adressa à moi d'abord sous les traits de ce pavillon anachorétique aux proportions magnifiques », indique Pascal Quignard. Il poursuit alors ses études au lycée, puis s'oriente vers la philosophie à l'université de Nanterre où il commence une thèse sur « Le statut du langage dans la pensée d'Henri Bergson », sous la direction d'Emmanuel Levinas. Il continue par ailleurs à pratiquer assidûment la musique (orgue, piano, violoncelle). Il s'essaie aussi à la peinture : « [...] à Paris, j'ai consacré quatre années à faire des peintures sur tissu, sur bois, sur toiles, sur carton, sur papier kraft, sur isorel, sur verre. En 1968, je consumai dans un grand feu, allumé devant le pavillon de Lully, l'ensemble de ce que j'avais produit et qui représentait un peu plus d'un millier d'images. » Les événements de Mai 1968 lui font renoncer à une carrière dans l'enseignement. Il se décide à reprendre l'orgue familial d'Ancenis lorsqu'il envoie aux éditions Gallimard un essai qu'il vient d'écrire sur l'amour dans la *Délie* de Maurice Scève, poète du XVIᵉ siècle.

1948   Sartre, *Les mains sales.*
1949   Premier journal d'actualités télévisé.
1953   Beckett, *En attendant Godot.*
1954-1962   Guerre d'Algérie.
1955   Lévi-Strauss, *Tristes tropiques.*
1957   Le roman de Robbe-Grillet, *La jalousie,* est qualifié de « Nouveau roman » par un critique, cette expression qualifiera également les romanciers publiés par les éditions de Minuit comme Sarraute ou Butor.
1958   Début de la Ve république sous la présidence du général de Gaulle.
1961   Levinas, *Totalité et infini. Essai sur l'extériorité.*
1968   Événements de Mai, initiés aux États-Unis par les manifestations contre la guerre du Vietnam.

2.

Des débuts de l'écriture au retrait du monde (1969-1994)

1. *Premiers textes : une écriture d'essayiste (1969-1979)*

Louis-René des Forêts, auteur et lecteur chez Gallimard, est intéressé par l'essai du jeune Pascal Quignard sur Maurice Scève. Il lui propose d'écrire pour la revue *Éphémère* à laquelle il participait avec, entre autres, Michel Leiris, Paul Celan, Yves Bonnefoy, Henri Michaux et Pierre Klossowski. Pascal Quignard y écrira plusieurs articles de 1968 à 1972. Il devient dans le même temps lecteur pour Gallimard. Parmi ces textes, réunis récemment dans *Écrits de l'éphémère* (Galilée, 2005), on trouve notamment une étude sur Eschyle, une traduction commentée de l'*Alexandra* du poète grec Lycophron, de courts essais sur le rapport de la parole au silence, au bruissement de l'air. Ses textes frappent par la singularité de leur forme et de leur style : de brefs paragraphes exprimant le mouvement d'une pensée qui revient constamment sur ses formulations. Il s'essaie aussi à une écriture plus poétique (*Sang, Hiems*) qui réfléchit le langage, interroge le mot. L'écriture de ces années-là est ainsi marquée par un souci d'explorer les pouvoirs de la langue, de s'attacher à son obscurité, à son mystère. En composant des textes sur d'autres auteurs, Pascal Quignard met en place sa propre façon d'écrire et affirme l'importance de la lecture dans son écriture, lien qui restera toujours présent dans son œuvre. D'ailleurs, son premier texte publié qui ne soit ni un poème ni un essai, mais un récit, s'intitule *Le lecteur* (Gallimard, 1976).

2. *Débuts de l'écriture fictionnelle et premiers succès (1979-1994)*

En 1979, Pascal Quignard publie son premier roman, *Carus*. Dès lors, son écriture explorera différentes formes : l'essai (*Le vœu de silence*, sur Louis-René des Forêts, 1985 ; *Une gêne technique à l'égard des fragments*, 1986 ; *Georges de La Tour*, 1991), le roman, long (*Le salon du Wurtemberg*, 1986 ; *Les escaliers de Chambord*, 1989 ; *L'occupation américaine*, 1994), court (*Tous les matins du monde*, 1991 ; *La frontière*, 1992), les fictions inclassables (*Carus*, 1984 ; *Albucius*, 1990), les contes (*Le secret du domaine*, 1983 ; *Étherlude et Wolframm*, 1986 ; *Les Septante*, 1994). S'appropriant et renouvelant tous les genres, il invente en outre

une nouvelle forme d'écriture où la réflexion spéculative se fait écriture personnelle, mêlant conte, fragments narratifs, notations historiques, étymologiques,
philologiques : *La leçon de musique* (1987), les *Petits traités*
(publiés en 1990, mais rédigés entre 1977 et 1980), *Le
nom sur le bout de la langue* (1993), *Le sexe et l'effroi* (1994).
Se dégage de son œuvre prolifique et protéiforme une
singularité qui frappe la critique et les lecteurs : une
manière de réinvestir les pouvoirs de la langue, de
reconstruire de la fiction, de porter un regard érudit et
poétique sur le monde et la culture. L'article de Claude
Roy, paru dans *Le Nouvel Observateur* du 16 mars 1984 à
l'occasion de la sortie des *Tablettes de buis d'Apronenia
Avitia* et cité par Chantal Lapeyre-Desmaison dans *Pascal
Quignard le solitaire*, décrit joliment ce nouvel écrivain
qui apparaît dans le paysage littéraire des années 1980 :

> Dans notre paysage littéraire, Pascal Quignard occupe
> la minuscule petite grotte qu'on aperçoit au lointain
> dans les paysages des primitifs, la retraite de l'ermite
> devant laquelle ronronne le lion de saint Jérôme, sorte
> de gros chat chevelu. La grotte du cénobite est remplie
> de livres savants, les œuvres de ce Lycophron aussi
> hermétique que Góngora et Mallarmé ensemble, mais
> que Quignard traduisit comme en se jouant, Maurice
> Scève dont il décrypta les secrets, et ces traités latins
> de l'Antiquité et de la Renaissance dont il fait son
> ordinaire. Au-dessus de la grotte les anges du savoir
> déroulent comme une flammèche où on lit un des
> inoubliables axiomes de Quignard : «J'espère être lu
> en 1640.» Au jeu du «si c'était», que serait Pascal
> Quignard si c'était une fleur? Une violette. Si c'était
> un instrument de musique? Une viole de gambe. Si
> c'était un parfum? L'odeur du temps.

Avec le succès du film *Tous les matins du monde* (qui
reçoit sept césars en 1992), l'auteur du roman et du

scénario se fait connaître du grand public. Mais, en 1994, il prend la décision de quitter toutes ses fonctions : il démissionne du comité de lecture et du poste de secrétaire général des Éditions Gallimard, il dissout le Festival international de l'art baroque de Versailles qu'il a fondé en 1990. En 1995, il quitte Paris et part s'installer à Sens, dans l'Yonne.

1969	Le général de Gaulle quitte ses fonctions après que le « non » à la réforme des régions qu'il avait soumise au vote l'a emporté. Georges Pompidou lui succède.
1973	Création du quotidien *Libération*. Mort de Picasso.
1974	Élection de Valéry Giscard d'Estaing à la présidence de la république.
1977	Ouverture du Centre Georges Pompidou dédié aux expressions culturelles dites « modernes ».
1981	Élection de François Mitterrand à la présidence de la République. Abolition de la peine de mort. Inauguration du TGV.
1985.	Duras, *L'amant* (Prix Goncourt). Lanzmann, *Shoah*, film documentaire de neuf heures sur l'extermination des juifs. Djian, *37°2 le matin*. Jonquet, *Le bête et la belle*.
1989	Rushdie, *Versets sataniques*; ce roman vaut à son auteur des menaces de mort. Inauguration de l'Opéra-Bastille.
1994	Semprún, *L'écriture ou la vie*.

3.

L'édification d'une œuvre
loin du bruit du monde
(1995-)

S e tenant à l'écart des médias et de l'agitation mondaine, Pascal Quignard poursuit son œuvre en conti-
nuant à écrire des romans (*Terrasse à Rome*, 2000; *Villa
Amalia*, 2006, adapté au cinéma par Benoît Jacquot) et
à explorer ce nouveau genre de l'essai qu'il est parvenu
à mettre en place : *Rhétorique spéculative* (1995), *La haine
de la musique* (1996), *Vie secrète* (1998), *Boutès* (2008).
Mais il se lance surtout dans un grand projet, celui
de *Dernier royaume*, qu'il décrit de la façon suivante à
Chantal Lapeyre-Desmaisons en 2001, c'est-à-dire un an
avant la parution du premier volume de ce projet :

> [Ce projet] s'intitule *Dernier royaume*. Je ne sais pas
> encore le nombre de volumes — de baraques, de
> maisons, d'appentis, de huttes — que l'ensemble com-
> portera. Mais je sais déjà, à voir les feuilles qui s'en-
> tassent, que c'est un ensemble beaucoup plus important
> que le coffret des huit volumes des *Petits traités* publiés
> aux éditions Maeght il y a plus de dix ans et écrits il y
> a vingt ans. Ce ne sont plus exactement des traités. Je
> m'approche peu à peu de Tchouang-tseu que j'ai tant
> cité en m'entretenant avec vous. J'espère qu'on ne
> saura plus démêler fiction ou pensée. [...]
> Panoramies comme celles qu'offre un petit miroir
> brisé tombé par terre, dans le fossé qui longe le champ,
> dont chaque petit fragment, si petit qu'il soit, si souillé
> qu'il soit, reflète tout le paysage, tout le ciel.
> Chaque tome reflète tout le ciel de son origine explo-
> sive jusqu'à nous.
> J'aurais pu intituler cela *De recapitulatione*. [...]

Ce n'est pas un jugement sur le temps ou le monde ou la société ou l'évolution humaine : c'est le petit effort d'une pensée du tout.

Une brusque vision du monde que je n'avais pas lue dans d'autres ouvrages, dans d'autres systèmes ; une petite vision toute moderne du monde.

Une vision toute laïque du monde.

Ou, si vous préférez, une vision toute anormale du monde.

Je m'y suis résigné. J'ai eu un mal fou à essayer de comprendre et ce que j'ai reconstruit du monde ne correspond pas aux normes à partir desquelles le monde est vendu aux humains par les sociétés humaines.

Ni argumentation philosophique ni petits traités épars ni narration romanesque.

Une activité mythographique à la frange de la fiction.

Une curiosité démythifiante à la frange de la noèse.

Extraordinairement agénérique. De plus en plus agénérique.

En 2002 paraît donc le premier volume de *Dernier royaume* intitulé *Les ombres errantes*. Il reçoit le prix Goncourt. Même si le choix de Pascal Quignard ne fait pas l'unanimité — on critique son érudition élitiste, le manque de souffle romanesque du texte couronné —, le caractère absolument singulier de son impossible projet d'écriture est ainsi reconnu et salué. *Dernier royaume* compte aujourd'hui six volumes : *Les ombres errantes, Sur le jadis, Abîmes, Les paradisiaques, Sordidissimes* et *La barque silencieuse* (publié en septembre 2009).

1995	Élection de Jacques Chirac à la présidence de la République.
1997	Modiano, *Dora Bruder*.
1998	J. K. Rowling, *Harry Potter à l'école des sorciers* (publication en français du 1er tome de la saga).

1999   Selon le dernier recensement, la France
       dépasse la barre symbolique des soixante
       millions d'habitants. La loi sur le Pacte civil
       de Solidarité (PACS) est adoptée. Le Parle-
       ment adopte une révision de la Constitution
       garantissant la parité des sexes en politique.
2000   Carrère, *L'adversaire*.
2007   Élection de Nicolas Sarkozy à la présidence
       de la République.
2008   Le Clézio, prix Nobel de littérature.

Éléments pour une fiche de lecture

Regarder le tableau

- Combien d'instruments de musique dénombrez-vous ? Pouvez-vous les nommer et dire à quelle famille d'instruments ils appartiennent ?
- La palette de ce tableau est-elle chaude ou froide ? Justifiez votre réponse.
- Imaginez que vous devriez accrocher cette nature morte chez vous. Quelle place lui donneriez-vous ?

Structure du récit

- Analysez l'ensemble du récit en différenciant trois modes distincts de narration :
  — narration
  — résumé
  — scènes
Relevez ensuite les effets d'ellipses.
- Dénombrez le nombre d'apparitions de Madame de Sainte Colombe. Analysez chacune des scènes où elle apparaît en vous intéressant à la façon dont elles s'articulent avec le reste du récit.
- Déterminez de quelle façon le récit est scandé par

une chronologie historique et analysez comment les notations historiques s'articulent avec l'histoire romancée de Monsieur de Sainte Colombe et de Marin Marais.

- Relevez deux ou trois fins de chapitre qui vous paraissent caractéristiques du goût de Pascal Quignard pour la « scène suspendue ».

La réécriture du passé : le XVIIe siècle janséniste

- Repérez les éléments historiques faisant référence au jansénisme.
- Pour les jansénistes, l'homme est une créature déchue dont la grâce n'est pas acquise. Saint-Cyran, qui fut l'une des grandes figures du jansénisme en France, insiste sur la nécessité d'une « conversion intérieure » qui passe notamment par l'isolement et le refus de la « vanité » sociale et mondaine. Dans les chapitres IV et V, examinez comment s'exprime l'opposition entre le jansénisme de Sainte Colombe et le pouvoir.
- Dans le chapitre XII (p. 41-42), Sainte Colombe et Marin Marais entrent dans une salle de jeu de paume (qui servait à l'époque de théâtre). La scène que jouent les comédiennes est une réécriture d'une scène de *Britannicus* de Racine. Analysez les modalités de cette réécriture et expliquez le choix de cet extrait par rapport à ce qui est en train de se raconter dans le roman.
- En vous référant à *Tous les matins du monde* et à d'autres textes de Pascal Quignard, tentez de déterminer ce qui, dans le jansénisme, peut intéresser l'auteur contemporain.

Écriture et peinture

- Relevez dans le roman des exemples de ce que Pascal Quignard appelle dans son essai sur Georges de La Tour les «peintures coites», c'est-à-dire des peintures qui semblent renoncer à la signification symbolique pour nous mettre face à une réalité silencieuse, à l'obscurité de la matière.
- Regardez les deux toiles de Lubin Baugin dont Pascal Quignard s'est inspiré. Comment le texte parvient-il à les retranscrire ?
- À quelles toiles de Georges de La Tour vous fait penser le roman ? Cherchez des exemples précis.

Écriture et musique

- Repérez trois ou quatre motifs narratifs qui reviennent à plusieurs reprises dans le roman.
- En quoi l'histoire de Sainte Colombe peut-elle se rapprocher de celle d'Orphée ?
- Voyez de quelle façon ce que Marin Marais dit de la musique à Sainte Colombe dans la dernière scène (p. 77-79) peut s'appliquer à la littérature.
- À la sortie du roman, un critique a écrit : « Le livre murmure, le lecteur doit tendre l'oreille, mais quelle musique… » Justifiez à partir de l'analyse d'exemples précis un tel jugement.

Écriture et langue

- Relevez dans le roman les mots anciens et rares qu'emploie Pascal Quignard. Quelle est selon vous leur fonction ?

- Analysez dans le chapitre xxii les effets de parataxe.
- Proposez un commentaire composé du chapitre xxv.
- « La chose est simple : le moindre alinéa paraît un destin, la plus modeste réplique une phrase historique. Et pourtant, pas un seul "mot d'auteur" là-dedans. C'est que les hommes, quand ils sont regardés par ces yeux-là, décrits pas cette bouche-là, deviennent des héros. […] Valéry disait qu'il ne fallait pas écrire en "Moi-dièse" mais en "Moi-naturel". Quignard prend des précautions — il est même le plus précautionneux des écrivains : il écrit en moi-bémol. » Commentez et discutez cette critique de Jacques Drillon parue dans *Le Nouvel Observateur* en décembre 1991.

Le film

- Comparez le début du film avec les trois premiers chapitres du roman. Que remarquez-vous ?
- Sur l'ensemble du film analysez comment la voix *off* s'articule à l'image.
- Voyez comment tout le récit du chapitre viii est adapté au cinéma.
- Dans *Le Monde* du 13 décembre 1991, Pierre Lepape écrit :

« Pascal Quignard n'a pas écrit un scénario pour le film d'Alain Corneau *Tous les matins du monde* ; il a composé un roman qui porte ce titre et dont Corneau s'est inspiré pour réaliser son œuvre cinématographique. Cette précision n'introduit pas une nuance mais bien une différence fondamentale : le livre de Quignard est une création en soi ; les images qu'il propose sont de pure littérature, les mots qu'il emploie, la grammaire qui les organise et qui les fait chanter ou gémir disent un espace imaginaire que chaque lecteur est invité à habiter d'une manière qui lui est propre. Le film n'est qu'une de ces habitations possibles. »

En vous appuyant sur cette analyse, procédez à une étude comparée du roman et du film.

Pour plus d'informations,
consultez le catalogue à l'adresse suivante :
http://www.gallimard.fr

Composition Interligne
Impression Novoprint
à Barcelone, le 5 février 2015
Dépôt légal : février 2015
1er dépôt légal : octobre 2010

ISBN 978-2-07-043880-8/Imprimé en Espagne.

286427